KB077153

실체적 진실주의와
무죄추정의 원칙
그 경계에 선 사건들

- 법학으로의 초대 -

차수봉

실체적 진실주의와 무죄추정의 원칙 그 경계에 선 사건들 - 법학으로의
초대-

지은이 차수봉

발 행 2024년 5월 1일
펴낸이 한건희
펴낸곳 주식회사 부크크
출판사등록 2014.07.15.(제2014-16호)
주 소 서울특별시 금천구 가산디지털1로 119 SK트윈타워 A동 305호
전 화 1670-8316
이메일 info@bookk.co.kr

ISBN 979-11-410-8282-6

www.bookk.co.kr

차례

머리말

책을 준비하면서 실체적 진실주의와 무죄추정 원칙이 머리 속을 맴돈다.

"이 사건의 실체적 진실이 무엇일까?
사람은 죽었는데, 누가 범인이라는 말인가?
영화 속의 일이라면 좋을 텐데, 실화라고 하니 범죄자는 찾아야겠고, 억울한 누명을 쓰는 사람은 없어야 하고.."
참으로 어려운 일이다.

실체적 진실주의란 형사소송에서 법원이 당사자의 주장, 사실의 부인 또는 제출한 증거에 구속되지 않고 사안의 진상을 규명하여 객관적 진실을 규명하려는 소송법상 원리이다.

"사실을 정확하게 밝히는 것, 어찌보면 간단하게 보이지만, 참으로 어렵고 힘든 일이다."

무죄추정의 원칙은 죄형법정주의, 증거재판주의와 함께 근대 형사법의 근간을 이루는 법리이다.

"형사사건에서 유무죄를 다투는 경우, 억울하게 옥살이를 하는 사람은 없어야 할 것이고, 또한 법의 망을 빠져가는 범죄자도 없어야 할 것이다."

근대화된 국가에서는 개인은 공권력보다 약하므로 방어권을 보장하기 위하여 유죄를 입증할 책임을 국가에 부여한다.

여기서 무죄추정의 원칙은 수사기관의 논증에 따라 피고인의 범행 사실에 합리적 의심이 사라져 유죄 판결이 확정되기 전까지는 피고인의 이익을 국가의 이해관계보다 우선시한다는 형평적(衡平的) 대원칙이다.

진실의 바다에서 이 사건을 두고 고민하고 있을 그 누군가와 판결문을 보면서 이야기 하고 싶어졌다.

2024년 4월 26일 연구실에서

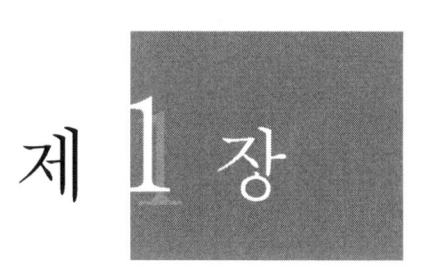

제 1 장

김성재 살인사건

사건 개요

199X 11. 20 서울 XX호텔 댄스그룹 김성재 사망.

공연이 끝나고 호텔 객실에 머물던 김성재, 조0정(김성재 여자친구), 박0우(김성재 매니저), 댄서 7명이 있던 상황에 댄서 7명이 먼저 취침, 박0우 취침 후 조민정이 김성재에게 피로회복제라며 주사을 투여함.

199X. 11. 20 새벽 1시-2시 50분경 김성재 사망판결(부검판정). 사건과정에서 부검결과 오른 팔 주사바늘 자국28과 정밀 부검 결과 두 가지 성분(텔레타민과

졸라제팜) 동물 안락사 및 마취제 성분이 발견되었고, 김성재는 오른 손 잡이로 혼자 주사를 투여했다는 것은 불가하다며 타살 가능성 제기함.

사건 발생 17일 째 XX동물병원장 박씨는 김성재 살인사건 부검소식을 듣고 구매자를 경찰에 신고를 함.

다음 날 사건 발생 18일 째 조0정은 의과 졸업생이며 동물 마취제 구입 사실이 들어나 유력한 용의자로 긴급구속됨.

조민정의 진술은 새벽 3시 40분쯤 호텔을 떠났다고 진술하며 검사의 질문 김성재 오른 팔에 주사자국을 봤냐는 말에 못 봤다며 살해 혐의를 부인함.

검사의 주장은 김성재를 살해한 자는 조0정이다. 마지막까지 함께 있었으며 동물용 안락사 및 마취제를 동물병원에서 구입한 증거 및 증인이 있음.

조0정에게 김성재의 오른 팔에 주사자국을 보았냐고 묻자 조민정은 못 봤다고 진술함. 평소 김성재는 위

실체적 진실주의와 무죄추정의 원칙 그 경계에 선 사건들

옷을 잘 입지 않는데 조0정이 화장실을 다녀온 후 옷을 갈아입었을 거라고 주장함.

또한 객실에 있던 사람 중 김성재와의 갈등이 있었다고 추측 할 수 있는 사람은 여자친구 조0정으로 지목됨. 조0정은 김성재에게 가스총을 쏜 적이 있다는 것과 평소에 김성재에게 집착이 심해 스트레스가 심했다던 매니저의 증언이 있음.

김성재가 한 달간 미국에서 활동할 시기에 조0정은 62회의 국제통화 기록이 있음. 즉 조0정은 김성재에게 큰 집착과 스트레스를 안겨준다고 볼 수 있으므로 김성재의 살해 동기가 분명하며, 텔레타민과 졸라제팜을 투여한 것은 변하지 않는 사실이 있음. 이를 모두 정리하여 재판장님(판사)에게 조0정의 사형선고를 말함.

변호사의 주장은 조0정이 동물병원서 구입한 약물들은 자신의 자살행위를 위함이라고 살해혐의를 부인함. 또한 김성재에게 투여한 졸레틸 한 병으로는 사람을 죽일 수 없음을 증명함.

또한 의과 졸업생이자 예비 의사라면 피고인은 김성재의 팔에 주사 자국처럼 주사를 주여 하지 않을 것이라 말함. 살인 동기가 분명했다면 의과 졸업생이 동물 마취제로 사람을 죽일 생각은 하지 않을 것이라고 말함. 동물 실험 결과 일정 양을 개에게 투여했을 때 1시간 후에 정상으로 돌아온 것을 증거자료로 제출함.

양측성 시반을 가지고 사망시간 선고한 것은 신빙성이 없으며 증인 매니저는 아침 6시까지 건조기가 돌아갔다고 점을 보아 누군가 건조기를 다시 돌렸거나 모두가 시간을 착각한 상황일 가능성이 있음.

만약 조0정이 정신감정에 이상이 있는 지의 판단 또한 정상적인 감정이 나옴. 이를 보아 살해 동기가 불분명하며 제 3의 범인이 있을 가능성을 제기하면서 피고인의 무죄임을 판사에게 증명함.

판사의 주장은 199X. 6. XX지방법원 1심 선고 공판을 내림.

실체적 진실주의와 무죄추정의 원칙 그 경계에 선 사건들

1심 선고 공판에서 재판부는 직접 증거가 없음에도 검사측에서 주장하는 기소내용을 받아들여 피고인을 유죄판결을 내림. 1. 졸레틸 구입과 은폐 2. 사망시각에 피해자와 함께 있었다는 시인한 점 3. 피고인의 집착적인 성격을 살해 동기로 인정하여 조0정은 무기징역 선고를 받음. 199X. 11. 항소심 선고공판 이후 변호인의 증명에 따라 앞서 선고 공판(조0정 무기징역)의 증거들을 모두 하나하나 깨뜨리며 이때까지의 억울함을 호소하며 새로운 증거들을 표출함.

1. 김성재의 사망시각을 단정할 수 없다는 점 2. 살해동기가 불분명하다는 점 3. 졸레틸 한 병으로는 사람이 죽는다고 볼 수 없다는 점 4. 제 3의 범인이 있다는 가능성을 판단하여 1심 선고 공판에서 무기징역을 받은 피고 조0정에게 무죄를 선고함.

199X. 6. XX지방법원 1심 선고 공판 피고인 조0정은 무기징역

199X. 11. 항소심 선고공판 피고인 조0정은 무죄판결이 남.

199X. 11. 20 댄스그룹 김성재 사망사건 종료.

변호사

 피고인이 졸레틸 한 병과 황산마그네슘을 동물병원에서 산 건 사실이지만 황산마그네슘은 사람에게 위험한 정도의 양이 아니고 피해자의 혈중 마그네슘 농도를 봤을 때 문제로 삼을 수가 없다.

 또한, 예비 의사인 피고인이 주사를 그렇게 마구잡이로 놓을 리도 없고 건이 벌어졌던 그 날 그곳에는 피고인 말고도 백댄서들과 함께 있었는데 자칫 들킬 수도 있는 상황을 여자인 피고인이 주사를 28회나 찌르는 게 불가능하다.

 또한 피고인의 발언 중 졸레틸 한 병과 황산마그네슘을 산 이유는 피고인이 의대를 졸업했지만, 의사 고시에 떨어졌고 이는 처음 겪는 실수인데다가 친구들을 보는 것도 창피했기에 그 충격 때문에 자살을 선택한 것이고 검찰 측에서 주장한 증거는 치사량을 알 수 없는 졸레틸과 증거 능력이 의심스러운 사채 사진으로 추정한 사망시간.

 피고인을 정신이상다로 몰아가는 증인들의 무책임한 말들과 한 사람의 목숨이 뒤바뀔 수도 있는 상황에서 증거의 의혹이 있으므로 피고인은 김성재의 살인 사건과 관계없음을 주장한다.

  검사

 피고인은 사망시간까지 김성재와 같이 있었고 김성재의 몸에 주삿바늘로 총 28회 찌를 점이 피고인이 의대를 졸업했다는 점에서 일반인이 주사를 그렇게 쉽게 놓지도 못할뿐더러 의대라는 점이 성립하고, 김성재의 몸에서 졸레틸 성분과 황산마그네슘 성분이 있다는 점과 피고인이 동물병원에서 졸레틸과 황산마그네슘을 산 뒤 그것을 은폐하기 위해 수의사에게 이 사실을 은폐해 달라고 했던 점을 합쳐보면 이 상황에 따라 피고인이 이 살인 사건의 유력한 용의자라고 볼 수 있다.

또한 같이 있던 백댄서 7명들의 증언에 따르면 피고인이 중간에 화장실을 다녀왔을 때 김성재가 옷을 입고 있었다고 말했지만 피고인을 제외한 나머지 백댄서들은 김성재가 평소 집이나 숙소에서는 맨몸으로 지내고 사람들과 있을 때 옷을 입고 있지 않았다고 하였다.

 피고인이 주장했을 땐 중간에 화장실을 갔다 온 사이에 김성재가 긴팔 옷을 입고있었다고 주장했다. 피고인은 김성재에게 연락하는 내용을 보면 평소 집착과 욕심이 있다는 걸 보여주는 내용이 있는 것으로 보아 피고인 조0정은 이 살인 사건의 유력한 용의자라고 주장하는 바이다.

 판사

 피고인 조0정과 김성재 살인 사건의 관계를 보았을 때 김성재의 사망 시각을 확인할 수 없는 점과 피고 조민정은 김성재와 연인 관계며 연인과 싸우는 행위는 당연한 거기에 피고인 조0정은 김성재를 살해할 동기가 불분명하다는 점과 피고인 조0정이 동물병원에서 산 졸레틸의 양이 사람이 죽을 수 있는 정도라고는 볼 수 없는 점을 종합하여 피고 조0정과 사건의 관계는 확실치 않다고 볼 수 있다.

플라로이드 사진의 사망 시간과 3시 12분에 꺼져야 할 건조기를 다시 켰을 가능성은 있기에 피고인과 사건의 관계는 성립하지 않다고 볼 수 있다. 그리하여 사망 시각을 단정 짓지 못하는 점과 살해 동기가 불분명하다는 점, 피고인이 산 졸레틸의 양이 사람이 죽을수 있는 정도라고 볼 수 없는 점을 보아 제 3의 범인이 있을 가능성을 종합하여 피고인 김성재 살인사건에 대해 함부로 확인할 수 없으므로 피고 조민정의 재판은 무죄로 판결한다.

변호사측

전형적인 유죄사건이라 이사건을 무죄로 만들기 위해 굉장히 어렵다고 했함 피고인과 만나서 접견해본결과 누군가를 치정관계 때문에 죽일 사람으로 안보여서 무죄를 계속 추정함

검찰측

피고인(조O정) 김성재가 헤어지자는 말에 불만을품고 동물 안락사 시키는 약물인 주사를 투입해 살해한 사건이라 주장하고 사전에 치밀한 계획을 세워 김성재 한테 피로회복제라고 속여 김성재에서 졸레틸 황산 마그네슘을 투입해 살해했다고 주장함

증인측

단골손님인걸 알고 있었음 피고인(조민정)이 강아지 키우는것도 알고 있었는데 자기네 가게 단골손님 피고인 (조O정)이 졸레틸이라는 약을 사고 갔다는걸 보았다는 신고를 했는데 피고인(조O정)은 자살할려 했다함 근데 죽는게 무서워 쓰레기통에 버림 하지만 살해할 생각이 있었으면 바로 치밀하게 생각했지 않을까라는 생각이 듬

진짜 사랑하는 사람을 그렇게 약물로 죽일수가 있을까라는 생각이 듬

판사측-즐레틸 구입과 은폐하고 사망시각에 피해자와 함께 있었다고 시인한점 피고인의 집착적인 성격을 살해 동기로 인정을 하여 무기징역을 선고함

항소심 공판

변호사 측- 황산 마그네슘은 사람에게 위험한 정도의 양이 아니고 졸레틸 한병으로 사람이 죽을수 있는가 외국에서도 있을수 없다 주장함

검찰측 – 피고인이 집착과 욕심으로 졸레틸과 주사기를 감추고 부인하는점이 증거라고 주장함 죄에 대한 늬위침도 없어 사형을 선고함

변호사 측- 증거능력이 불충분한 사망시간 피고인을 정신이상자로 몰아가는 이상적인말들을 통해 유죄를 판결할수 없다 무죄를 선고해달라 주장함

판사측- 김성재의 사망시각을 단정지을수 없고 또한 살해동기가 분명하는 않은점 또한 졸레틸을 투여한

약물이 과연 건강한 청년을 죽음을 이루게 할수 있는
가라는점 그리고 제3의범인이 있을 가능성도 없어 살
인죄로 무기징역을 받은 원심을 깨고 피고인(조0정)에
게 무죄를 선고함

2심 재판 판결문

서울고등법원 1996. 11. 5. 선고 96노1268 판결

피 고 인 피고인
항 소 인   피고인 및 검사
변 호 인
동서법무법인 담당변호사 서정우외 2인

원심판결
서울지법 서부지원 1996. 6. 5. 선고 96고합2 판결

주 문

원심판결을 파기한다.
피고인은 무죄

이 유

1. 항소이유의 요지

가. 검 사

이 사건 범행이 피고인의 빗나간 증오, 집착과 욕심 때문에 계획적으로 사람에게 쓰지 않고 동물에나 쓰는 약물로 피해자를 살해한 것으로 범행 후 사리에 맞지 않는 거짓진술로 억지 주장을 일삼으며 범행을 부인하고 은폐하는 등 범행을 전혀 뉘우치는 마음이 없어 그 죄질과 범정의 불량함이 극에 달하고 있으므로 피고인을 무기징역형에 처한 원심의 형은 가볍고 따라서 검사의 구형과 같이 사형에 처하여야 한다.

나. 피고인

(1) 사실오인의 점

피고인이 피해자를 살해한 바가 없음에도 불구하고 객관적이고 직접적인 증거 없이 추측과 예단에 의하여 피고인을 유죄로 인정하여 살인죄로 처단한 원판결에는 다음과 같이 사실을 오인하여 판결에 영향을 미친 위법이 있다.

실체적 진실주의와 무죄추정의 원칙 그 경계에 선 사건들

(가) 살인의 동기에 관하여

 피고인의 성격이 소유욕과 집착력이 강하다고 할 수 없다.

 원심은 이에 대한 간접사실로서 피고인이 평소에 피해자가 팬들과 만나는 것을 싫어하고 또 어디에 가는지 꼬치꼬치 캐물으며 피해자의 팔다리를 묶기도 하고 가스총을 쏜 사실을 인정하고 있으나, 우선 피고인이 통상인이 가지고 있는 질투의 범위를 벗어나서 피해자의 행위를 관여한 사실이 없고 이에 대한 원심 증인들의 진술은 모두 과장되었으며, 다음으로 피고인이 피해자의 팔다리를 묶은 사실이 없고 이에 대한 증인들의 진술은 공소외 이현도로부터 들은 전문진술로서 증거능력이 없을 뿐 아니라, 설사 이러한 말을 피해자가 하였다고 할지라도 이는 피해자가 장난삼아 지어낸 이야기에 불과하고, 마지막으로 피고인이 실험탄이 들어 있는 가스총을 오발하여 피해자를 맞힌 일이 있으나 이것이 과장되거나 부풀려져 피해자에 의해 잘못 전달된 것으로 위와 같은 잘못 인정된 사실

아래서 이를 가지고 피고인의 성격을 단정지을 수 없다.

 이 사건 당시 이미 피해자가 피고인을 미워하여 헤어지려고 결정한 상태라고 할 수 없다.

 피해자의 어머니인 공소외 1이 피해자의 미국 출국 이후에도 계속적으로 피고인과 접촉하여 피고인을 변함없이 대하여 주었고 그 이외에 피해자가 미국에서 귀국한 이후 어머니보다도 피고인을 먼저 만나보았고 선물을 사왔으며 귀국 후 거의 매일밤을 피고인과 보냈고 피해자의 사망 후에 그 일행들이 피해자의 사망 소식을 어머니보다는 피고인에게 알린 점 등에 비추어 보아 피해자의 사망 당시에 피해자가 피고인과 헤어지려고 이미 결정한 상태라고 볼 수는 없다.

(나) 약물의 구입에 관하여

 피고인이 공소외 배상덕의 동물병원에서 자신의 개를 안락사시킨다는 명분으로 "졸레틸 50" 1병과 그 희석액, 황산마그네슘 3.5g 및 일회용 주사기 2개를 사온 것은 사실이나 이는 피해자가 귀국하기로 결정될 당시가 아닌 1995. 9.경에 피고인이 자신의 자살을 생각하던 중 노망이 난 자신의 개 "바니"의 안락사 문제와 겹쳐 구입하였다가 버린 것으로 피고인이 구입한 약물로는 결코 피해자를 죽일 정도의 분량이 될 수가 없고 만일 피고인이 범인이라면 자신이 잘 아는 동물병원에서 살인용 약물을 구입할 리도 없다.

(다) 범행 방법에 관하여

원심이 인정한 이 사건 범행 방법은 아무런 증거 없는 추측에 불과하며 과연 이 사건 범행장소와 같이 여러 사람이 잠을 자고 있는 분위기 아래서 28번의 주사를 놓아 피해자를 살해할 수는 없다고 할 것이다.

(라) 사망 시각에 관하여

이 사건 사망 시각을 추정한 피해자의 양측성시반은 폴라로이드 사진에 나타난 영상을 가지고 법의학자들이 판단한 것으로 폴라로이드 사진 자체의 문제점으로 말미암아 위 시반이라고 판단한 것은 폴라로이드 사진의 음영에 불과하여 양측성시반이라고 단정할 수 없다.

 피해자가 생존해 있는 모습을 마지막으로 본 때가 사건 당일 01:00경이라는 증인 이상욱의 진술은 사건 전날의 피고인과 피해자 등의 행적, 다른 증인들의 진술 등에 비추어 적어도 02:00 이후인 것을 잘못 진술한 것으로 그 이후부터 양측성 시반이 생길 수 있는 피해자의 사망시각인 02:50경까지 사이에 피고인이 피해자를 살해할 시간적 여유가 없다.

 피해자의 위에서 피해자가 늦게 먹거나 마신 음식이 발견되지 않은 점, 아침에 피해자의 자세를 바꾼 시점이 06:50 보다 몇십분 빠를 수 있는 점, 아침에 피해자가 죽었다고 주위 사람이나 119 구급대원이 단정하지 못하였고 피해자가 긴급후송된 세림병원의 간호원이 측정한 피해자의 체온이 36°정도였다는 점 등을 종합하여 볼 때에 피해자의 사망시각은 03:00경 이후라고 보아야 한다.

(마) 사망 원인에 관하여

피해자의 몸에서 검출된 마그네슘염 67.8ppm, 틸레타민 0.85μg/㎖, 졸라제팜 3.25μg/㎖의 혈중농도로 보아 이것이 사인이라고 단정할 수 없다.

(바) 피해자의 사망 후 피고인의 행적에 관하여

피고인이 위 배상덕에게 부탁한 것은 약물의 판매를 감추어 달라는 것이 아니고 주사기를 사간 사실을 감추어 달라고 부탁한 것으로 이는 당시 피고인이 의심받는 상황에서 겁이 나기도 하고 답답하여 찾아간 것으로 만일 피고인이 범인이라면 이와 같이 의심나는 행동을 할 이유가 없다.

피해자의 어머니가 피해자의 부검을 반대한 데 대하여 피고인이 동조한 것은 피해자의 애인으로서의 의무로 자연스러운 일이다.

피고인이 피해자의 사망 소식을 듣고 병원에 나타났을 때 화장한 모습으로 나타난 것은 피고인이 집에 들어가서 피곤하여 화장도 지우지 않은 상태에서 잠이 들었다가 바로 나왔기 때문이다.

(사) 기타 사항에 관하여

사건 당일 06:00경 위 이상욱이 일어났을 때 타이머 135분짜리 건조기가 돌아가고 있었던 사실, 피해자의 입술에서 피가 발견된 사실, 매니저 김동구와 정재문의 사건 당일의 이상한 행적, 졸레틸이 마약대용으로 사용되는 점, 28개의 주사침 흔적이 동시에 놓아지지 않았다고 볼 수 있는 점, 황산마그네슘이 피해자에게 투여되었다고 볼 자료가 없는 점 등이 있는 이상 피고인을 유죄로 단정할 수 없다.

(2) 양형부당의 점

설사 피고인이 유죄로 인정된다고 하더라도 원심의 무기징역형은 너무 무거워 부당하다.

2. 판 단

가. 이 사건 공소사실의 요지

실체적 진실주의와 무죄추정의 원칙 그 경계에 선 사건들

피고인은 1993. 9.경 단국대학교 치과대학 본과 3학년 재학시에 당시 이현도와 "듀스"란 이름의 그룹을 조직하여 가수활동을 하고 있던 피해자 김성재(남, 23세)를 알게 되어 그 무렵부터 애인관계로 지내던 중, 소유욕과 집착력이 강한 피고인의 성격으로 말미암아 피고인 혼자서만 위 김성재를 차지하겠다고 마음먹은 나머지, 위 김성재가 대중들 앞에서 가수 활동하는 것을 싫어하여 위 김성재를 뒤쫓아 다니며 여자팬들의 접근을 막는 등 위 김성재의 활동에 많은 간섭을 하고, 이를 못마땅하게 여기는 위 김성재에게 가스총을 쏘거나, 잠이 든 위 김성재의 몸을 끈, 테이프로 묶어 놓는 등으로 위 김성재를 괴롭혀서 위 김성재와 갈등을 빚게 되었는바, 그에 따라 계속 가수로 활동하고 싶어하는 위 김성재는 피고인이 자신의 앞 길에 방해가 될지도 모른다는 생각에 피고인과의 관계를 청산하려 하였고, 반면에 피고인은 위 김성재를 계속 자신의 옆에 묶어 두기 위해 피고인과의 관계를 회복시키려 하여, 1995. 7. 21. 위 김성재가 미국으로 떠난 후에도 계속 위 김성재에게 전화를 하여 만나자고 하는 등 위 김성재와의 관계회복을 시도하였으나, 위 김성재가 피고인과의 전화통화조차 기피하고 피고인에게 돌아올 기미를 보이지 않자, 위 김성재와의 관계를 회복할 기회를 갖기 위해 위 김성재가 귀국할 무렵 미국으로 위 김성재에게 전화를 하여 곧 일본에 유학갈 예정이니 그때까지만 만나서 잘 대해 달라고 애원하여 같은 해 11. 15. 귀국한 위 김성재와 만나는 기회를 갖게 되었는바, 그런데 이미 피고인과 헤어지기로 마음을 굳힌 위 김성재가 피고인과의 관계를 회복하고 싶어하는 기색을 전혀 보이지 않자, 그 동안 누적된 불만과 위 김성재를 영구히 소유하겠다는 욕심에서 위 김성재와 헤어지느니 차라리 그를 살해해 버리는 것이 더 낫다고 생각하고, 위 김성재를 살해할 기회를 노리던 중,

 1995. 11. 19. 저녁에 서울 서대문구 홍은3동에 위치한 스위스그랜드 호텔 별관 57호 위 김성재의 숙소 내 거실에서, 그 전날 에스비에스(SBS) "생방송 티브이(TV) 가요 20"이란 프로그램을 통하여 성공적인 솔로 가수 데뷔무대를 가진 위 김성재와 그의 로드매니저인 공소외 이상욱 및 백댄싱팀 일원인 공소외 류노아 등 8명과 함께 위 김성재의 공연장면을 녹화한 비

디오 테이프를 반복하여 시청하다가, 다음날인 11. 20. 01:00경까지 피고인과 위 김성재를 제외한 나머지 사람들이 차례로 잠을 자러 방안으로 들어감에 따라 위 거실에는 피고인과 위 김성재 둘만 남아 피고인은 마주 보도록 붙여 놓은 1인용 소파 2개 위에 앉고 위 김성재는 그 옆에 놓여 있는 3인용 긴 소파에 누워 있는 상태에서 피고인이 위 김성재의 화장을 지워주고 몸을 주물러 주며 위 공연에 관한 이야기 등을 나누는 기회를 갖게 되자, 이를 기화로 그 때부터 같은 날 02:50경까지 사이에 그 전에 반포종합 동물병원을 경영하는 배상덕으로부터 구입하여 가지고 다니던 틸레타민과 졸라제팜이 혼합된 동물마취제인 "졸레틸 50"이란 약품 250㎎을 5㏄ 용액에 희석하여 그 중 일부를 주사기에 담아 이를 위 김성재에게 피로회복제 등으로 오인시킨 다음 위 김성재의 오른쪽 팔 부위에 주사하여 위 김성재를 마취시킨 뒤, 이어 남은 위 졸레틸 희석액과 물에 희석한 동물안락사용 극약인 황산마그네슘 약 3.5g을 주사기로 위 김성재의 오른쪽 팔 부위에 수회 주사, 투약하여, 그 무렵 그 곳에서 위 김성재로 하여금 위 틸레타민과 졸라제팜 및 마그네슘 중독으로 사망하게 하여 위 김성재를 살해한 것이다 라고 함에 있다.

　나. 증명되는 사실

　원심이 적법하게 조사, 채택한 증거들과 당심에서 조사, 채택한 증거들 중 당심 증인 김광훈, 이상탁, 이상욱, 정일승의 각 진술, 연세대학교 의과대학장 작성의 사실조회에 대한 답변서, 변호인이 당심에서 제출한 증 제2, 12호증의 각 기재, 검사가 당심에서 제출한 사진 6매의 영상 등을 종합하면 다음과 같은 사실이 증명된다.

　(1) 1995. 11. 19. 피해자 김성재가 에스비에스(SBS) "생방송 티브이(TV) 가요 20"이란 프로그램에 출연한 뒤 저녁에 숙소인 스위스그랜드 호텔 별관 57호로 돌아와 피고인과 위 김성재 및 일행 7명이 거실에 모여 피고인이 위 프로그램을 녹화하여 가지고 온 비디오테이프를 재생하여 보다가, 피고인 및 위 김성재와 로드매니저인 공소외 이상욱을 제외한 나머지 일행 6명이 차례로 잠을 자러 방안으로 들어갔고, 이어 위 이상욱은 다음날인 11. 20. 01:00경 거실에 피고인과

위 김성재 둘만 남겨 놓은 채 잠을 자러 방안으로 들어갔는데, 같은 날 06:00경 위 이상욱이 위 김성재 일행 중 제일 먼저 잠에서 깨어나 보니 피고인은 보이지 않고 위 김성재가 거실 소파에 엎드려 머리를 오른쪽으로 돌려 누워 있는 것을 보고 흔들어 깨웠으나 일어나지 않기에 처음에는 위 김성재가 잠을 자는 것으로 생각하였고, 계속 일어나지 않아서 공소외 류노아와 흑인인 공소외 트리키에게 위 김성재를 깨우도록 시켰으나 역시 일어나지 않아 위 이상욱이 위 김성재를 뒤집어 똑바로 눕히고 흔들어 깨우려고 하였으며 그렇게 깨워도 위 김성재가 일어나지 않아 류노아가 호텔 프런트에 전화하여 119 구급대를 불러 왔고 피해자는 세림간호병원에 곧 후송되었으나 이미 사망하였다는 판정을 받았다.

 (2) 위 김성재의 사체를 부검한 결과 김성재 사체의 오른쪽 팔에서만 28군데의 주사바늘 자국이 발견되었는데, 위 주사바늘 자국에서 나타난 피하출혈은 신선혈로서 사망 이전에 발생한 것이고 그 양상이 모두 동일한 점에 비추어 근접한 시간대(하루 이내)에 같은 주사기에 의하여 만들어진 것으로 보이고, 오른팔 위

쪽 3곳의 근육주사 외의 나머지 오금 5곳, 아래쪽 20곳의 주사바늘 자국은 그 자국이 불규칙적이지만 정맥 혈관을 따라 분포되어 있으며 누구나 가까운 거리에서 보기만 하면 피하 출혈 부분이 확인될 정도이고, 김성재 사체의 혈액, 소변, 위내용물 전부에서 사람 몸에는 있지 않은 틸레타민과 졸라제팜이라는 약물이 검출되었는데 그 틸레타민의 혈중농도는 0.85㎍/㎖, 졸라제팜의 혈중농도는 3.25㎍/㎖이었고 위에서 소량의 액상내용물과 위점막출혈이 있는 외에는 다른 특이한 사항은 발견되지 아니하였다.

(3) 그런데, 위 김성재는 오른손잡이로 아침에 발견될 당시 긴팔의 윗옷이 입혀져 주사바늘자국이 보이지 않는 상태에서 발견되었고 김성재가 위 생방송 준비를 위하여 연습하는 도중 윗옷을 벗고 상체가 맨몸인 채 연습하였으며 위 호텔에 도착하여서도 바로 윗옷을 벗고 상체가 맨몸인 채 녹화한 비디오를 보았는데 그 일행 중 누구도 김성재의 오른팔에서 주사바늘 자국이나 피하출혈 흔적을 보지 못하였다.

(4) 김성재 사체에서 검출된 위 틸레타민과 졸라제팜

의 사람에 대한 치사량이나 이를 투약하고 사망한 사람의 혈중농도에 대한 관련 자료는 밝혀져 있지 않지만 졸라제팜은 그 유도체인 다이아제팜보다 그 독성이 2배이고, 틸레타민은 그 유도체인 펜사이클리딘에 비해 그 독성이 2분의 1가량이며 틸레타민의 유도체인 펜싸이클리딘과 졸라제팜의 유도체인 다이아제팜을 기준으로 할 때 위 펜싸이클리딘을 고의 또는 사고로 복용하고 사망한 17사례에서 나타난 펜싸이클리딘의 혈중 농도가 0.3 내지 25㎍/㎖이었고 다이아제팜을 다른 약물과 병용 투여하여 사망한 67사례에서 나타난 다이아제팜의 평균 중간혈중농도가 18㎍/㎖, 단지 다이아제팜만이 관여되어 사망한 3사례의 평균 중간 혈중농도가 4.8㎍/㎖였고, 또 1,200개의 다이아제팜 관련 사망사례 중 다이아제팜 한 종류의 섭취로 인한 2개의 사망사례의 사후혈중농도는 각 5㎍/㎖, 19/㎖로 나타났다.

 (5) 위 틸레타민과 졸라제팜은 각각 미국에서 등록약품통제법에 따라 가장 엄격하게 제한 금지되는 분류에 속하는 스케줄I에 포함되어 있고 같은 비율로 혼합되어 동물마취제로 사용되는 "졸레틸"과 "탈레졸"이라

는 상품은 덜 제한을 받는 스케쥴Ⅲ에 포함되어 있으며 그 중 "졸레틸"은 우리 나라에서는 조양축산상사에 의해 1992. 1. 8.부터 수입되기 시작하여 매년 1,000병 정도(1995년도에는 2,106병)의 판매량을 보이고 있고 "탈레졸"은 개별적으로 들여오는 것 이외에 따로 수입되는 것은 없다.

 (6) 한편, 피고인은 1995. 9.경부터 11.경 사이(다만 공소외 배상덕은 처음에는 11월초라고 진술하다가 원심법정에서 9월부터 11월 사이라고 진술을 바꾸었다)에 위 배상덕이 경영하는 반포종합 동물병원에서 애완견을 안락사시키는 데 필요한 약품을 달라고 요구하여, 이에 위 배상덕이 피고인에게 동물마취제인 "졸레틸 50"(틸레타민 125㎎과 졸라제팜 125㎎이 혼합된 약품)이란 약품 1병과 황산마그네슘 약 3.5g 및 3㏄용 주사기 2개를 판매하면서 먼저 졸레틸을 주사하고 이어 황산마그네슘을 물에 녹여 정맥주사하라고 안락사 방법을 알려 준 일이 있고, 그 후 피해자의 부검결과가 나오기 전인 1995. 12. 1.경 피고인이 위 배상덕에게 전화를 하여 만나자고 하여 위 배상덕이 피고인을 만난 일이 있는데, 그때 피고인이 자기가 사망한

위 김성재의 여자 친구라고 하면서 피고인이 위 배상덕으로부터 위 약품과 주사기를 구입한 사실을 다른 사람에게 말하지 말아 달라고 부탁하였다.

다. 원심의 판단

원심은 위 증명된 사실 이외에 피고인이 위 별관 57호실을 나간 시각이 03:40경인데 피해자의 사체를 촬영한 사진에 의하면 양측성시반이 나타나고 이를 근거로 피고인이 나가기 이전인 02:50 이전에 피해자가 사망된 것으로 추정되고, 피해자의 몸에서 정상인보다 많은 마그네슘이 검출되었고, 피고인의 성격과 당시 피고인과 피해자와의 관계에 비추어 피고인이 피해자를 살해할 동기가 충분하며, 그 이외에 피해자의 사망 후 피고인의 의심스러운 행적 등을 종합하여 피고인이 피해자를 살해한 것으로 단정하고 피고인을 살인죄로 처단하였는바, 차례로 살펴보기로 한다.

라. 사망시각에 관하여

(1) 양측성시반에 관하여

원심 증인 황적준(고려대학교 의과대학 교수 겸 위 대학 법의학 연구소장)의 원심법정 및 검찰에서의, 원심 및 당심 증인 김광훈(부검의)의 원심, 당심 및 검찰에서의, 당심 증인 이상탁(검안의)의 당심에서의 각 진술과 위 황적준이 작성한 감정의뢰에 대한 회신서의 기재에 의하면 다음과 같은 사실이 인정된다.

(가) 사망 후 시체에서 발견되는 시반은 이동성 시반, 양측성 시반, 침윤성 시반의 3종류가 있으며 이 중 이동성 시반이란 시체의 체위를 변경할 경우 처음에 생긴 시반은 변경된 체위의 아래쪽으로 완전히 이동되어 소실되고 새로운 체위의 시체 하방부에 시반이 다시 형성되는 것을 말하며, 양측성 시반은 처음에 생긴 시반은 약하게 남아 있으면서 변경된 체위의 하방부에 시반이 비교적 강하게 재형성되어 시체의 양면에서 시반이 모두 관찰되는 경우이고, 침윤성 시반은 발견될 당시 시신의 하방부에 형성된 시반이 시체의 체위를 변경하여도 이동하지 않고 그대로 남아서 새로운 체위의 시체 하방부에서 시반 형성을 볼 수 없는 경우를 말하는 것으로, 이 양측성 시반은 영국의 법의

학서적에 의하면 사후 4 내지 12시간 내에, 일본의 법 의학서적에 의하면 짧게는 사후 6 내지 8시간 내에, 길게는 8 내지 10시간 내에 형성된다고 한다.

 (나) 그런데 위 황적준은 위 김성재의 사체를 영안실에서 촬영한 폴라로이드 사진 7매(수사기록 28쪽부터 31쪽까지), 카메라로 찍은 칼라부검사진 16매(수사기록 106쪽부터)를 보고, 위 김광훈과 이상탁은 위 폴라로이드 사진을 보고 위 김성재의 사체의 후면에 강한 시반이 형성되어 있고 왼쪽 하지의 대퇴부 전면 및 내측, 얼굴과 목의 전면, 전흉부의 일부에서 약한 시반이 관찰되므로 위 사체에서 발견된 시반은 양측성 시반이라고 판단하고 있다.

 (2) 사망시각의 추정

 위 김성재의 사체에서 발견된 시반이 양측성 시반이라고 한다면 앞서 증명된 사실에서 인정한 바와 같이 위 김성재가 1995. 11. 20. 01:00경까지는 살아 있었고, 같은 날 06:00경 처음 발견되었을 당시에는 소파에 엎어져 있다가, 같은 날 06:50경에 뒤집혀 똑바로 눕혀졌다는 사실과 맞추어 보면, 위 김성재는 1995. 11. 20. 01:00경부터 02:50경 사이에 사망한 것으로 추정된다.

(3) 양측성 시반의 존재 여부

(가) 부검사진에 양측성 시반이 나타나는가

위 황적준이 양측성 시반을 확인하였다는 부검사진 16매를 육안으로 확인하면 이중 양측성 시반을 확인하는 데 참고할 수 있는 사진은 부검 전 모습을 왼쪽에서 촬영한 전신사진 1매(수사기록 106쪽 위), 안검 울혈소견을 보이는 얼굴사진 1매(수사기록 107쪽 위), 흉복부 절개 사진 1매(수사기록 108쪽 위) 뿐으로 이중 전신사진을 제외한 얼굴과 목 부위의 사진 2매는 시반으로 관찰될 만한 어떠한 피부색의 변화를 발견할 수 없고, 전신사진 1매를 자세히 관찰하여 보면 왼쪽 허벅지 안쪽에 미약하나마 시반같은 흔적을 발견할 수 있으나 당심 증인 김광훈의 당심법정에서의 진술에 의하면 위와 같은 흔적은 사진상에서 흔히 볼 수 있는 것으로 시반으로 볼 수 없다고 하고 있어 결국 부검사진으로는 피해자의 사체에서 양측성 시반을 발견할 수 없다고 할 것이므로 이를 발견하였다는 원심 증인 황적준의 원심 및 검찰에서의 각 진술은 믿기 어렵다고 할 것이다.

 (나) 폴라로이드 사진의 문제점

 위 폴라로이드 사진을 육안으로 확인하여 보면 위 증인들의 증언과 같이 양측성 시반으로 보이는 흔적들이 눈에 띄는데 과연 이 것을 시반이라고 단정할 수 있는지 살펴본다.

 변호인이 당심에서 제출한 증 제7, 8호증의 각 1 내지 4의 각 영상과 증 제19호증의 기재, 이 법원의 성모병원 영안실 현장검증조서의 기재 및 영상을 각 종합하면, 폴라로이드 사진은 일반 사진에 비하여 거뭇거뭇한 음영이 나타나고 이와 같은 음영은 시반으로 오인될 소지가 있다.

 양측성 시반이라고 지적하는 부분이 일치하지 아니한다. 즉 위 황적준은 왼쪽 허벅지 안쪽, 얼굴과 목의 일부(원심에서는 구체적으로 오른쪽 얼굴)에서, 위 김광훈은 전흉부와 목 전면부에서(검찰진술시), 법의학자 이정빈은 질의회보서(증거로 채택되어 있지는 않다)에서 왼쪽 다리의 내측과 전면에서 각 양측성 시반이 발견된다고 한다(위 이상탁은 양측성 시반이 사진상 보인다고 할 뿐 구체적인 위치에 대한 진술이 없다). 결국 양측성 시반의 위치를 지적한 3사람 중 모두 양측성 시반이라고 지적한 부분은 한 군데도 없다.

 위 황적준이 구체적으로 양측성 시반이라고 지적한 오른쪽 얼굴부분은 위 증명된 사실에서 보는 바와 같이 피해자가 아침에 발견된 형상에서는 시반이 형성될 수 없는 부분이고 왼쪽 허벅지 안쪽에서 발견되었다는 시반은 피해자가 모로 누워있지 않은 이상 형성되기 어려운 부분이다.

 같은 폴라로이드 사진 내에서도 시반으로 보이는 곳이 다른 사진에서는 시반으로 안 보이는 경우가 있다(가장 확연한 예로는 수사기록 30쪽 아래 사진의 오른쪽 허벅지 바깥 쪽에 보이는 시반이 31쪽 사진에서는 보이지 않는다).

사건 당일 피해자를 본 피해자의 일행들인 이상욱 등과 119 구급대원인 당심 증인 최순규, 후송된 세림간호병원의 의사인 당심 증인 최성현, 간호사 이현주, 영안실 직원인 주정환, 검안의 이상탁, 부검의 김광훈 등 사체를 목격한 많은 사람들이 피해자의 사체를 볼 당시 피해자의 몸 전면부에 이상한 변색이나 시반으로 보이는 흔적을 본 기억이 없다고 일치하여 진술하고 있다(위 김광훈은 원심증언시에 부검당시 피해자의 사체 전흉부 등에서 미약한 시반이 있었으나 미약해서 부검감정서에는 기재하지 않았다고 진술하고 있으나 변호인의 반대신문시 그 부위를 표시하여 달라고 하자 정확하게 기억하여 표시할 정도가 아니라고 답변하였을 뿐 아니라 검찰 및 당심에서의 진술은 주의하여 보지 않았기 때문에 양측성 시반이 있었는지 기억이 안난다는 취지로 진술하고 있어서 원심의 이 부분 진술은 믿기 어렵다고 할 것이다).

(4) 사망시각과 관련하여

(가) 위 이상옥외 당심, 원심, 검찰에서의 각 진술에

의하면, 위 이상욱은 범행당일 01:00경 잠을 자러 들어가면서 건조기에 세탁물을 넣고 타이머의 최대가동시간인 135분에 맞추어 놓고 잠을 자러 들어갔고 그후 아침 06:00경 기상하여 건조기에서 세탁물을 끄집어 내려고 건조기가 있는 쪽으로 가는데 건조기가 여전히 돌아가고 있어 건조기의 타이머를 중단시키고 세탁물을 끄집어 냈다고 진술하고 있고, 이 법원 및 원심의 현장검증조서의 각 기재에 의하면, 위 건조기는 최대 타이머 작동시간이 135분으로 위 시간이 경과되면 자동으로 작동이 멈추어지고 다시 타이머를 재작동할 수 있도록 되어 있다.

 그렇다면 피해자의 당시 일행 중 중간에 건조기의 타이머를 재작동시켰다고 진술하는 사람이 아무도 없고 특별히 위 이상욱의 진술을 배척할 만한 사정이 엿보이지 아니하는 이 사건에 있어서 위 건조기의 타이머는 범인에 의하여 작동된 것으로 보여지고 그 목적은 범행의 실행시에 일어날 수 있는 소음이나 범행현장의 이탈시 문에서 나는 소음 등을 중화시킬 목적이라고 추단되고 이러한 추단 아래서라면 이 사건 당일 03:45경(06:00경부터 역산하여 135분 이전)에는 피해

실체적 진실주의와 무죄추정의 원칙 그 경계에 선 사건들

자가 살아 있었거나 막 사망한 때라고 보아야 할 것이므로 양측성 시반은 발견될 수 없다고 할 것이다.

(나) 피고인이 범인이 아니라면 피고인이 별관 57호실을 나갔다는 03:45경에는 피해자가 살아 있었을 것이고 피고인이 범인이라면 이 사건 범행을 부인하는 마당에 피해자가 생존해 있을 때에 위 범행현장을 떠났다고 진술하고 있다고 보는 것이 합리적이므로 03:45경에는 피해자는 생존해 있었을 가능성이 훨씬 높다고 할 것이다.

(5) 사망시각 추정에 대한 결론

앞서 살펴 본 바에 의하면 피해자의 사체에서 양측성 시반이 있었다고 단정할 수 없고 결국 양측성 시반이 있음을 전제로 하는 사망시각의 추정은 더 이상 증명되었다고 할 수 없다.

마. 황산마그네슘의 투입 여부

(1) 위 김광훈의 원심, 검찰에서의, 원심증인 정희선

의 원심 및 검찰에서의 각 진술과 위 정희선 작성의
감정서의 기재를 종합하면 다음과 같은 사실을 인정
할 수 있다.

(가) 황산마그네슘은 인체에 투약되면 황산염과 마그
네슘이온의 형태로 변하게 되는데, 황산염과 마그네슘
이온은 원래 사람 몸에 어느정도 있는 물질로 황산염
은 통상인도 소변에서 검출이 많이 되고 비교할 데이
터가 없는 반면에 마그네슘이온에 대하여는 이러한
자료가 있기 때문에 국립과학연구소 약독물과장 정희
선은 위 김성재의 몸에 황산마그네슘이 투약되었는지
를 알기 위하여 위 김성재와 대조사체 3구, 생존자
20명 이상에 대하여 마그네슘염의 양을 측정하였다.

(나) 그 결과 마그네슘염의 함량이 김성재의 사체에
서 혈액 67.8ppm, 뇨 281.5ppm이, 다른 사체에서
혈액 48.4ppm - 59.7ppm, 뇨 18.2ppm-51.8ppm이,
살아있는 사람들에게서 혈액 15ppm - 20.1ppm, 뇨
28.5ppm - 128.5ppm이 각 검출되었고, 동인이 참고
하였다는 문헌에 의하면 사람의 마그네슘의 함량은
혈액 12ppm - 31.2ppm, 뇨 24ppm - 144ppm이 정상

실체적 진실주의와 무죄추정의 원칙 그 경계에 선 사건들

범위로 나와 있다고 한다.

 (2) 이에 이러한 사실을 근거로 위 정희선과 부검의 김광훈을 혈액 중 마그네슘염의 농도가 생존시에 정상농도이라도 만일 사람이 죽으면 혈액의 용혈 등에 의하여 이온평형이 깨지고 따라서 그 마그네슘염의 농도는 변화되므로 위 혈액 중에 나타난 김성재의 마그네슘농도를 가지고 마그네슘염의 투여 또는 복용 여부를 판정할 수 없으나, 위 김성재의 뇨 중 마그네슘염 함량이 대조사체라든가 문헌에서 보고된 자료들과 비교하여 볼 때에 그 수치가 높은 것으로 보아 외부에서 마그네슘염을 포함한 물질이 투여되었을 가능성을 배제할 수 없다고 판단하였고, 원심은 이에 더 나아가 정상인보다 많은 양의 마과네슘염이 검출된 사실을 인정하고 있다.

 (3) 그러나, 첫째 변호인이 당심에서 제출한 증 제14, 16호증의 각 기재에 의하면, 미란타와 같은 제산제에서 수산화마그네슘이 사용되고 그 양은 미란타의 경우 100㎖당 13.34g이, 이 사건 전날 피고인 일행이 저녁식사를 한 켄터키 후라이드 치킨집에서 판매하는

통상의 1인분 음식에서 많지는 않지만 127.43㎎의 마그네슘이 포함되어 있고 이러한 마그네슘이 포함된 음식을 먹고 마심으로 마그네슘의 뇨 중 함량이 상승할 것임은 위 정희선 작성의 감정서 기재에 의하여도 명백하고, 둘째 연세대학교 의과대학장 작성의 사실조회에 대한 답변서의 기재에 의하면 소변 중의 마그네슘염의 함량은 변동이 심하여 이를 가지고 어떠한 판단을 하기 어려울 뿐 아니라 정상인의 소변에서 검출되는 마그네슘염의 농도는 2 - 18㎜이고 위 김성재의 사체의 오줌에서 검출된 양인 281.5ppm은 11.58㎜에 해당되어 정상 범위에 속한다는 것으로 결국 위 김성재의 오줌에서 검출된 마그네슘의 함량이 정상인보다도 높다고 할 수 없을 뿐 아니라 나아가 이를 근거로 황산마그네슘이 투약되었다고 단정할 수는 없다고 할 것이다.

바. 살해 동기에 관하여

(1) 원심이 피고인의 이 사건 살해 동기에 관하여 원심이 적법하게 조사·채택한 증거들에 의하여 인정한 사실은 다음과 같고 이에 대하여 차례로 살펴본다.

(가) 피고인은 평소 소유욕과 집착력이 강하다.

(나) 피고인은 피해자와 싸우면서 피해자에게 가스총을 쏜 일이 있다.

(다) 피고인은 피해자가 외출하지 못하도록 밤사이에 피해자의 몸을 끈과 테이프로 묶은 일이 있다.

(라) 피해자는 1995. 7. 이전에 피고인과의 관계를 청산하려 하였고 이에 대하여 피고인은 전화를 하여 미국으로 떠난 피해자와의 관계 회복을 시도하였으나 냉담한 반응만을 받았을 뿐이다.

(마) 피해자가 귀국하여 피고인을 계속 만난 것은 피고인이 곧 일본에 유학갈 예정이니 그 동안만이라도 잘해 달라고 하여 만난 것이다.

(2) 성격에 관하여

당심 증인 신진숙의 이 법정에서의, 원심 증인 전혜

진의 원심법정에서의 각 진술에 의하면 피고인이 특별히 소유욕과 집착력이 강한 성격이라고 볼 수 없고, 치료감호소 감정의사 이현정 작성의 정신감정서의 기재에 의하면, 피고인에게는 편집적 성격을 포함한 특이한 성격장애가 없으며 성격적으로 약간 의존적이고 복종적이긴 하지만 본래 매우 긍정적인 성격특성을 가지고 있어 피고인이 타인에 비하여 소유욕과 집착력이 강하다고 단정할 수 없다.

 (3) 가스총 사건에 관하여

 위 가스총 사건에 대한 증거로는 1995. 7. 초순경 피해자가 피고인 집에서 나올 때 가스총을 맞아서 얼굴이 붉어지고 옷이 찢어진 상태로 나오면서 피고인이 눈에 살기를 띠고 너는 죽어야 된다고 하면서 가스총을 쏘았다고 하는 것을 피해자로부터 들었다는 원심 및 당심 증인 이상욱의 원심 및 당심, 검찰과 경찰에서의 각 진술, 미국에 출국하려고 한 날 피해자로부터 피고인이 가스총을 쏘았다는 이야기를 들었다는 당심 증인 이현도의 진술, 미국에서 피고인으로부터 가스총 사건을 들었다는 원심 증인 류노아, 김진의 각 진술,

피해자 사망 후 피고인에게 가스총을 쏜 일이 있느냐고 물었더니 피고인이 피해자의 애를 뱄는데 책임을 회피할려고 하여, 화가 나서 쏘았다는 말을 들었다는 위 김진의 진술 등이 있고 이에 대하여 피고인은 피해자에게 실수로 가스총을 쏜 일은 있으나 고의로 쏜 일은 없다고 변소하고 있다.

그런데, 뒤에서 보는 바와 같이 위 사건 이후에 피고인과 피해자의 관계가 급속하게 벌어지거나 미워하는 상태가 아니고 계속적으로 유지되는 상태로 보여지는 바, 그렇다면 이 가스총 사건은 피해자 또는 위 이상욱에게 있어서 위 이상욱이 진술한 것과 같은 정도의 사건이 아니고 가볍게 웃어 넘길 수 있는 정도의 사건이 아닌가 하는 의심이 드는데 이는 위 이상욱이 경찰 제3회 진술시에 피고인과 피해자가 다툰 적이 없어서 피고인이 피해자를 해칠 가능성이 전혀 없다고 진술한 점이나 1995. 6. 1. 신한독총포사를 경영하는 이상돌이 피고인에게 샘플용으로 빌려준 가스총에는 본래의 가스탄이 아니고 시험탄인 물탄이 장전되어 있어서 인체에 아무런 해가 없고 눈에만 약간 매운 정도의 성능이라고 위 이상돌이 경찰에서 진술하고 있는 점 등에 의하여 뒷받침되고 있어서 피고인이 실수로 가스총을 쏘았다는 변소를 단정적으로 배척할 수는 없다고 할 것이다.

(4) 결박사건에 관하여

이에 대한 증거로는 위 이현도의 공항에서 피해자로부터 들었다는 진술, 미국에서 피해자로부터 들었다는 위 류노아와 김진의 진술 등이 있는바, 과연 실제로 이러한 일이 있었는지에 대하여는 뒤에서 보는 바와 같은 피고인과 피해자와의 관계와 당일의 행적 등에 비추어 믿기 어렵다.

우선 출국예정일로 공증계약일인 1995. 7. 20. 피해자가 공증장소에도 나오지 아니하고 공항에도 늦게 도착하여 위 이현도의 책망을 듣자 피해자가 이를 모면하기 위하여 앞서 장난스럽게 생각되는 가스총사건과 관련하여 이 결박사건을 만들어냈을 가능성이 높은 것은 위 결박 사건은 마치 영화 또는 소설로 유명한 "미져리"의 한 장면을 연상시킬 뿐 아니라 앞서 든 증거들과 공판기록 1437쪽의 진료내역서의 기재에 의하면 위 결박당하였다는 날 피해자 등은 결국 출국하지 못하여 다음날 출국하였는데 출국하지 못한 피해자는 서울 용산구 서계동 267의 56 소재 한상우 치과의원에서 이치료를 받고 피고인과 다음날 출국 전까지 같이 지냈고 당심 증인 이현도의 이 법정에서의 진술에 의하면 당시 공항에서 피해자가 위 이현도에게 이야기할 때의 분위기는 심각하기보다는 황당하여 웃음을 자아내는 분위기였다는 사실에 비추어 보아도 그러하다.

만일 이러한 사건을 피해자가 만들어 낸 것이라면 피해자가 위 이현도에게 말한 바가 있으므로 미국에서 일행들에게 가스총 사건과 함께 장난삼아 말을 하였을 가능성도 배제할 수 없다.

(5) 당시 피고인과 피해자와의 관계

원심이 적법하게 조사·채택한 증거들과 당심 증인 이현도의 이 법정에서의 진술을 종합하면, 피고인과 피해자가 처음 만나서 사귀던 때보다는 1995. 4.경 이후부터 피고인과 피해자가 서로 다투고 싸우기도 한 사실이 인정되나 이 정도의 다툼이나 싸움을 가지고 피고인이 피해자와 헤어지려고 하고 피고인은 피해자에게 매달릴 정도로 사이가 악화되었다고 보기 어려운 것은, 첫째 1995. 4. 28. 피해자의 어머니 공소외 1이 피해자의 동생인 공소외 2에게 보낸 편지에 피고인과 피해자의 싸움을 묘사하고 있지만 둘 사이의 관계가 헤어질 정도로 악화된 것으로 표현되어 있지 아니하고 그 밑바닥에 둘이 사랑으로 잘 포용하고 감싸주기를 바라는 심정이 기재되어 있으며 위 공소외 1은 피해자에게 필요한 돈을 송금하는 데 피고인의 통장을 이용할 정도로 피고인을 믿었고 피해자가 미국에 간 이후에도 피고인을 불러 밖에서 밥까지 사준 일이 있으며 피해자의 사망 당일 피고인의 집에서 묵고 올 정도로 여전히 피고인을 피해자의 애인 또는 여자친구로 인정하여 왔고(위 공소외 1의 원심에서의 진술 등), 둘째 피해자가 귀국하기 얼마 전 미국에서 있을 때 전화로 울면서 힘들고 어려운 심정을 피고인에게 하소연할 정도로 피해자가 피고인에게 마음의 문을 닫은 상태가 아닐 뿐 아니라 피해자가 피고인의 전화를 받기 싫어 하였다면 피해자가 미국에 있을 때 한 달에 수십회의 통화(8월에 가장 많이 63회의 통화를 하였고 한 번의 통화시간 중 가장 긴 것이 1시간 14분 29초도 있다)가 이루어질 수 없고(위 류노아의 원심에서의 진술과 수사기록 736쪽과 공판기록 159쪽의 전화통화내역 수사보고서), 셋째 피해자가 귀국하여서 어머니인 위 공소외 1보다도 피고인을 먼저 만났을 뿐 아니라 피고인에 대한 선물을 준비하였고 귀국 후 피해자 사망시까지 착오로 피고인과 피해자가 엇갈려서 못만난 1995. 11. 16. 외에는 매일 피고인과 피해자가 같이 있었고(원심 채택 증거들), 넷째 피해자 사망 전일에 피해자가 피고인에게 생방송 녹화를 부탁하였을 뿐 아니라 사건 당일 피곤하여 누워있는 피해자의 몸을 피고인이 안마하였고 평소에 같이 거실에서 자던 위 이상욱이 위 류노아의 권유에 따라 둘만의 시간을 갖도록 자리를 비워 준 점(원심 채택 증거들) 등에 비추어 보아 명백하고, 따라서 위 증인들의 진술들은 통상의 연인들에게서 볼 수 있는 다툼이나 싸움을 피고인이 범인으로 지목되자 적개심에서 과장하여 표현한 것이 아닌가 하는 의심이 든다.

 (6) 피해자가 피고인이 유학가기까지 일주일만 잘해주기로 하였다는 말을 하였다는 점에 관하여 앞서 든

증거들에 의하면 피해자 일행인 위 이상욱 등이 피해자로부터 들었다는 것인데, 첫째 당시 피해자는 1996. 1. 또는 2.경 일본으로 진출할 예정이어서(당심 증인 이현도의 진술과 변두섭의 검찰에서의 진술) 피고인이 일본으로 유학을 간다면 피고인으로부터 완전히 벗어난다고 할 수 없는 상황이었고, 둘째 피고인과 피해자 및 그 일행들이 같이 있을 때에 피고인의 유학준비에 대하여 아무런 이야기가 없었고, 셋째 피해자가 귀국 후에 피고인을 만날 때 보통의 경우에 비해 특별히 잘해주었다고 볼 수 없는 점(녹화 심부름, 피해자가 피고인에게 욕한 것 등) 등에 비추어 보아 위 진술들을 믿기는 어렵다고 할 것이다.

(7) 살해 동기에 대한 결론

앞서 살펴본 바에 따르면 피고인이 피해자를 살해할 만한 원심판시와 같은 성격이나 동기가 있었다고 단정하기는 어렵다고 할 것이다.

사. 기타 의심스러운 정황에 관하여

(1) 피고인이 위 배상덕에게 약물 구입사실을 숨겨달라고 부탁한 것이 "도둑이 제발 저리다." 또는 "도둑이 포도청 간다."은 우리 나라 속담처럼 가장 피고인을 범인으로 의심하게 되는 근거가 됨은 사실이나 한편, 위 배상덕의 원심에서의 진술에 의하면, 당시 위 배상덕이 피고인을 만났을 때 배상덕은 피고인에게 안락사용 약물 등을 판매한 사실을 전혀 기억하지 못하고 있었는데 피고인이 이를 상기시켜서 비로소 위 배상덕이 피고인에게 안락사용 약물(당시만 해도 위 배상덕은 황산마그네슘만 판매한 것으로 기억)을 판매한 사실이 생각났고 그 당시의 분위기가 피고인이 무슨 범죄를 저지르고 이를 숨기려고 부탁하는 것으로는 전혀 보이지 않고 무슨 난처한 처지에 놓여져서 하는 부탁 정도로 느껴졌다는 것으로 이와 같은 당시의 분위기를 언론보도를 통한 피해자의 마약상습투약으로 인한 사망설과 피고인의 연루설 등 피고인이 당시 처해있던 상황과 연관시켜보면 피고인이 환각작용과 신경안정작용 등이 있는 마취약물과 주사기를 사간 사실이 혹시라도 알려지게 되면 더욱 곤경에 처하게 될지도 모른다고 걱정한 나머지 위 배상덕을 찾아간 것으로 이해 못할 바 아니고, 부검 결과 "졸레틸" 성분

이 검출될 것을 미리 알고서 그런 행동을 한 것이라고 단정적으로 추론할 것은 아니다.

(2) 위 공소외 1의 원심에서의 진술에 의하면 피해자 사망 후 사체를 부검하려는데 피고인이 부검을 반대하면서 유족대기실에서 돈을 주면 심장마비로 나올 수 있다는 말을 위 공소외 1에게 한 사실은 인정되나, 한편 위 증인의 원심, 검찰, 경찰에서의 진술에 의하면 위 김성재의 부검을 반대한 것은 위 공소외 1이 먼저이고 이에 대하여 피고인이 동조하였으며 위 공소외 1은 심지어는 주사바늘 자국이 확인되어 부검영장이 발부되었을 때 내목에 칼이 들어와도 부검을 할 수 없다고 반대하다가 영장이 발부되면 부검을 반대하여도 어쩔 수 없고 위 김성재가 오른손잡이이므로 사인을 밝혀야 된다는 주위의 설득에 어쩔 수 없이 부검에 동의한 사실이 인정되는바, 피고인이 피해자와 애인 사이이고 우리 나라 사람의 의식상 부검은 사람을 2번 죽이는 일이라고 하여 싫어하는 점, 그리고 당시 위 김성재가 마약복용으로 사망한 것이라는 말이 떠돌고 있어 만일 부검하여서 마약이 검출될 경우 위 김성재가 받을 불명예 등을 고려하여 보면 피고인이

실체적 진실주의와 무죄추정의 원칙 그 경계에 선 사건들

위 공소외 1의 부검반대에 동조하여 심장마비사로 처리하자는 말을 하였다고 할지라도 이러한 사정이 피고인을 범인으로 지목할 정황사실이라고는 볼 수 없다.

(3) 위 류노아는 원심에서 피고인이 피해자가 사망하였다는 소식을 받고 30분 이내에 나타나면서 화장을 하고 머리를 빗고 나타났다고 진술하고 있으나 피고인의 변소처럼 피곤하여 화장을 지우지 않은 채 잠깐 잠이 들었다가 소식을 듣고 바로 나왔다면 피고인이 위와 같은 모습을 보였다 하여 피고인을 범인으로 의심할 정황사실이 될 수 없다.

(4) 그 이외에 피고인이 피해자 사망 후 그리 슬픈 기색이 아니었다는 등의 피고인을 범인으로 의심케 할 만한 위 류노아, 김진, 공소외 1 등의 진술들은 모두 객관적인 사실이라기보다는 피고인이 범인으로 지목된 이후에 주관적인 생각을 피력한 것들로 과장되었거나 곡해되었을 가능성을 배제할 수 없어 쉽게 믿기는 어렵다고 할 것이다.

아. 의문점들

(1) 피고인이 구입한 약물만으로 사람을 죽이기에 충분한가

(가) 황산마그네슘 3.5g

피해자의 몸에 황산마그네슘이 투약되었음을 인정할 아무런 증거가 없음은 앞서 본 바와 같고, 피고인이 구입한 황산마그네슘 3.5g이 치료약의 범위 내로서 일시에 정맥투여되지 않은 이상 인체에 아무런 해를 주지 않음은 원심증인 정희선, 이광수의 원심법정에서의 각 진술과 서울대 김명석교수 작성의 사실조회회신서의 기재에 의하여 충분히 인정되고 피고인이 구입한 3cc 주사기로는 위 황산마그네슘 희석액을 일시에 정맥 투여하기 어렵다.

(나) "졸레틸 50" 1병

졸레틸 50(5㎖)의 사용설명서(수사기록 623쪽)의 기재에 의하면, 졸레틸 50을 가지고 근육주사로 마취를

하는 경우 그 양은 kg당 개 0.3㎖, 고양이 0.3㎖, 10 kg당 고릴라 0.2㎖ - 0.44㎖, 침팬지 0.8㎖ - 1㎖, 염소, 사슴 1.8㎖, 낙타 0.3㎖ - 0.44㎖, 사자 0.6㎖ - 1㎖, 곰, 호랑이, 팬더 0.8㎖ - 1.2㎖, 여우 0.2㎖ - 1.6㎖, 토끼 1.4㎖ - 2㎖를 필요로 하는데 가장 kg당 사용량이 적은 고릴라의 낮은 치수를 적용할 때에 위 "졸레틸 50" 1병을 가지고는 몸무게 250kg의 고릴라를 마취할 수 있는 정도의 분량인데, 원심 및 당심 증인 이광수의 각 진술, 연세대학교 병원장 작성의 사실조회에 대한 답변서, 증 제1호증, 텔라졸 사용설명서(수사기록 1407쪽)의 각 기재에 의하면 졸레틸 2배의 함량을 가진 탈레졸의 경우 개에게 kg당 50mg을 투여하였을 때 생존하였다가 100mg 투여시 사망하였고, 고양이의 경우 kg당 220.47mg 투여시 치명적이며 개와 고양이에 대하여 치사량(50% 사망)은 틸레타민은 마취량의 10배, 졸라제팜은 투여량의 20배라는 보고가 있고 이와 같은 보고들을 근거로 할 때에 위 "졸레틸 50" 1병은 사람에게 충분한 마취효과를 낼 수는 있으나 사망에 이르게 할 충분한 양이라고 보기에는 어려운 사실이 인정되고, 이와는 달리 위 "졸레틸 50" 1병이 사람을 사망에 이르게 할 충분한 양이 된다는 취지로 진술한 위 김광훈의 당심 및 원심, 검찰에서의 진술은 위 동물실험 결과 등에 의하여 나타난 자료에 비추어 믿기 어렵다고 할 것이다.

 (다) 첫째, 피해자 몸에서 검출된 정도의 틸레타민과 졸라제팜의 혈중농도에 비추어 어느 정도의 "졸레틸" 또는 "탈레졸"이 투약된 것인지 또 그 치사량이 얼마인지에 관하여는 이와 관련된 사람의 사망 또는 오용사고 등이 보고되지 아니하였고 또한 실제로 실험할 수 있는 성질의 것이 아니어서 알 수 없고 따라서 위 "졸레틸 50" 1병을 사람에게 투여할 때 그 혈중농도가 얼마나 될는지는 알 수 없으나, 피고인 이 구입한 위 1병을 사람에게 투여해서는 사망의 결과가 일어나기 어려운 사정에 비추어 실제로 피해자가 사망한 이 사건에 있어서 피고인이 구입한 위 졸레틸 1병만이 피해자에게 투여되었다고 보기는 어렵고(피고인이 더 이상의 졸레틸을 구입하였는지에 대하여는 아무런 증거가 없다), 둘째로 작은개 1마리를 안락사시킬 만한 분량의 약물을 가지고 치과대학까지 나온 피고인이 건강한 청년을 죽일 수 있다고 믿을 수 있었을지도 의문이고, 마지막으로 설사 피고인이 위 졸레틸 1병을

피해자에게 투여하였다고 가정하더라도 그 분량에 비추어 살해의 범의를 가지고 투약한 것이라고 단정할 수 있을지도 의문이다(위에서 든 증거들에 의하면 졸레틸을 구성하는 틸레타민과 졸라제팜은 모두 마약대용품으로 사용될 수가 있는 것들이고 뒤에서 보는 사고사의 가능성을 배제할 수 없다).

 (2) 피해자의 사체에서 검출된 소변량에 의하여 추정되는 생전 마지막 배뇨시각과 사망시각 사이에 28군데의 주사바늘 자국을 남길 수 있는가

 원심 및 당심 증인 김광훈의 원심 및 당심에서의 진술에 의하면, 피해자의 사체에서는 모두 10cc의 소변이 검출되었다고 진술하고 있고, 위 진술과 증 제4호증의 1, 2와 증 제10호증의 각 기재에 의하면 사람의 뇨의 생성은 뇨의 생성을 방해하는 특별한 질병이 없는 한 1분에 1cc, 적어도 2분에 1cc의 뇨가 생성된다고 하고 기록상 피해자가 사망시나 직후에 소변을 방출한 흔적은 보이지 아니한다.

 그렇다면 피해자는 최대한 잡아서 사망 20분 전에

소변을 보았다는 것인데, 피해자가 정상적으로 소변을 본 후 20분 내에 피해자의 아무런 반항 없이 28군데의 주사바늘 자국을 남길 수 있을지 의문이고 만일 위 주사바늘 자국의 일부가 피해자가 생전에 마지막으로 소변을 보기 이전에 형성된 것이라면 피해자의 죽음은 사고사일 가능성을 배제할 수 없다고 할 것이다.

 (3) 외부인의 소행 또는 내부 일행의 범행 가능성이 완전히 배제되었다고 할 수 있는가

 (가) 우선 증명된 사실에서 본 바와 같이 피고인이 위 별관 57호실을 01:00경부터 06:00경까지 사이에 떠났다는 것 이외에 피고인이 나간 시각에 대한 객관적인 아무런 입증이 없다.

 그런데 피고인이 범인이라면 피고인이 자신의 혐의를 벗기 위하여서는 좀 더 빠른 시각에 위 별관을 떠났다고 진술하는 것이 보통일 터인데 범행이 이루어질 충분한 시간이 지난 후에 떠났다고 진술하는 것으로 보아서 피고인이 떠났다는 위 시각은 일응 진실한 것

이라고 밖에는 볼 수 없고, 그렇다면 피해자의 정확한 사망시각을 알 수 없게 된 이 사건에 있어서 피고인이 떠났다는 03:40 이후에 피해자의 나머지 일행 7명 중 누군가가 피해자에게 주사를 놓았을 가능성을 완전히 배제할 수는 없다.

 (2) 당심 증인 이상욱, 원심 증인 류노아의 각 진술과 원심 및 당심의 현장검증조서의 각 기재 및 사법경찰리 작성의 노기환, 윤여학에 대한 각 진술조서의 진술 기재에 의하면, 위 별관 57호실이 속하여 있는 스위트 호텔의 정문 출입구는 4군데로 24시간 개방되어 있고 후문 출입구 5군데는 야간인 21:00경부터 다음날 06:00경까지 완전히 폐쇄하고 각 출입구마다 설치된 감시카메라로 데스크에서 위 폐쇄회로화면을 통하여 출입자를 감시하도록 되어 있으며, 위 별관 57호실은 현관문과 비상문을 통하여 출입할 수 있는데 안에서는 그냥 문을 열 수 있고 밖에서는 문이 자동으로 닫히면서 잠기어 현관문열쇠나 비상문열쇠로만 열고 들어 갈 수 있고 위 출입문열쇠는 투숙시에 투숙객에게 1개(복제되었거나 복제를 부탁하였으면 2개)를 주고 데스크에서 예비열쇠를 보관하고 있는 외에 마

스터 열쇠가 있어 외부침입이 어려운 것만은 사실이나, 한편 위 증거들에 의하면 이 사건 당일 새벽에 위 데스크 당번인 위 노기환은 누가 밖으로 나갔는지 기억 못하고 있고 데스크에서는 투숙객의 일행이 예비 열쇠를 요구하면 이를 내어주며 위 열쇠를 분실하는 경우 보증금에서 열쇠값을 공제하도록 되어 있는 외에 다른 조치가 없고 위 열쇠의 일반 복제가 가능하며 1995. 11. 18. 위 별관 57호실에서 피해자가 그의 지갑을 분실한 사실이 있고 그 뒤 위 지갑은 현재까지 발견되지 않고 있는 사실 등을 인정할 수 있는바, 이에 의하면 첫째 이 사건 당일 데스크 근무자가 폐쇄회로 화면을 통하여 모든 출입자를 일일이 확인 감시하였던 것은 아니라고 보여지는 점, 둘째 누구나 과거 투숙객 또는 현재의 투숙객을 통하여 열쇠의 보관이나 복제가 가능한 점, 셋째 위 지갑을 피고인이나 피해자의 일행 중 누군가가 가져간 것이 아닐 수 있는 점 등을 종합하여 보면 이 사건 당일의 외부침입 가능성 역시 완전히 배제할 수는 없다.

3. 결 론

무릇 형사재판에서 유죄의 인정은 법관으로 하여금 의심을 할 여지가 없을 정도의 확신을 가지게 하는 증명력을 가진 엄격한 증거에 의하여야 하고, 이와 같은 증거가 없다면 설령 피고인에게 유죄의 의심이 간다고 하더라도 피고인의 이익으로 판단할 수밖에 없다고 할 것이다.

그런데 이 사건에서 증명된 사실로는 객관적인 사실로,

피해자는 1995. 11. 20. 01:00경부터 06:00경까지 사이에 사망하였다고, 그 사망원인은 틸레타민과 졸라제팜에 의한 약물중독사로 추정되고, 위 시간대 사이에 사망하기 전에 피해자는 누군가에 의해 오른쪽 팔에 28번의 주사가 놓아졌으며 그 놓아진 주사액은 "졸레틸"이나 "탈레졸"과 같이 틸레타민과 졸라제팜이 혼합된 약물이다.

피고인과 관련된 사실로서,

피고인은 전에 위 배상덕으로부터 개안락사 명목으로

"졸레틸"과 주사기를 구입하였고

　피해자 사망 후 위 배상덕에게 약품구입사실을 다른 사람에게 말하지 말아 달라고 부탁한 일이 있고, 위 시간대의 상당부분을 피고인과 피해자가 같이 있었다.

　위 증명된 사실들에 의하면 피고인이 피해자를 살해한 것이라는 일응의 믿음을 갖게 된다.

　그러나 앞서 본 바와 같이 피고인이 위 별관 57호실을 나간 시각 이전에 피해자가 사망하였다고 단정할 수 없고, 피고인이 피해자를 살해할 만한 원심판시와 같은 특별한 성격이나 동기는 이를 인정할 충분한 증거가 없고, 달리 피고인이 연인인 피해자를 살해하기에 족한 뚜렷한 동기를 찾아 볼 수 없으며,

　피고인이 구입한 황산마그네슘 3.5g은 치료약의 범위 내로서 이를 희석하여 3cc 주사기로 수회 나누어 투여하더라도 인체에 거의 해를 주지 않는 데다가 그것이 피해자에게 투여되었다고 인정할 충분한 증거도 없고, 또 피고인이 구입한 "졸레틸 50" 1병 역시 피해

자와 같은 건강한 청년으로 하여금 사망에 이르게 할 정도의 분량이라고는 볼 수 없으며,

피해자의 사망시각과 생전의 마지막 소변시각 사이의 시간과 위 "졸레틸"의 마약대용 가능성에 비추어 사고사의 가능성을 배제할 수 없고,

피고인 이외의 피해자 일행 7명과 외부침입자의 범행 가능성을 완전히 배제할 수는 없는 점, 기타 변호인이 내세우는 사건이 일어난 곳의 살해 장소로서의 부적합성, 공소사실에 적시된 피로회복제로 속여 주사하였다는 범행 방법의 부자연스러움 등에 비추어 보아 피고인이 피해자를 살해한 살인범이 아닐지도 모른다는 의심이 들어 앞서 증명된 사실만으로는 합리적인 의심의 여지가 없을 정도로 피고인이 피해자를 살해하였다는 확신이 들 정도의 증명이 있다고 할 수 없고 이를 증명할 증거가 부족하다고 할 것이며 달리 공소사실을 인정할 증거가 없음에도 불구하고 원심이 거시 증거에 의하여 유죄의 판결을 한 것은 증거 없이 범죄사실을 인정하여 판결에 영향을 미친 위법이 있다.

그렇다면 피고인의 사실오인 주장의 항소는 이유 있으므로 검사 및 피고인의 각 양형부당에 대한 항소이유의 판단을 생략한 채 형사소송법 제364조 제6항에 의하여 원심판결을 파기하고 변론을 거쳐 다시 다음과 같이 판결한다.

이 사건 공소사실의 요지는 앞서 본 바와 같은바, 이는 위 항소이유에서 판단한 바와 같이 그 범죄의 증명이 없는 때에 해당하므로 형사소송법 제325조 후단에 의하여 무죄를 선고한다.

재판장 판사 안성회, 하광룡, 최강섭

제 2 장

치과 모녀 살인사건

1. 사건 개요

아파트에서 화재가 발생하여 경비원이 신고함. 불이 처음 발생한 곳은 안방이며 불은 장롱 한 칸만 태운 채 번지지 않았다.

그런데 화장실 욕조 안에서 여자와 어린 아이의 시신이 발견되고, 외과 의사인 강신웅의 아내 이수진과 딸 강보람이 목이 졸려 살해된 후 욕조에 유기된 상태였다.

경찰은 갓난아이까지 살해한 것으로 보아 피해자와 원환 관계인 사람이 범인이라고 추정하였고, 수사 중 피해자에게 내연남이 있다는 사실을 알게 되었다.

남편 강신웅과 내연남 유병세가 유력한 용의자로 지목되었으나 유병세는 경찰에서 알리바이가 입증되어 강신웅이 살인 및 방화 혐의로 구속된다.

- 서울 한 아파트(안방)에서 오전 9시 경 화재 발생.
- 욕조에 여자와 어린아이 시신 발견.
- 피해자 남편(이도행)은 사건 당일 개인 병원 개원.
- 경찰은 갓난아이까지 살해한 것으로 보아 피해자와 원한관계가 있는 자의 범행으로 추정함.
- 사건 현장에서 피해자의 일기장과 편지를 발견하고 남편과 내연남이 용의자로 지목되었으나 내연남은 알리바이 입증으로 "혐의없음."으로

풀려나고, 남편은 아내의 불륜 사실을 알고 있었다는 범행동기가 인정되어 살인 및 방화혐의로 전격 구속됨.

2. 검사

평소 피고인 강신웅은 아내와 갈등이 많았고, 결국 아내와의 갈등으로 인해 커튼 줄로 목을 졸라 살해하고 욕조에 유기한 뒤 유유히 병원에 출근했을 것이다.

또한, 피해자의 일기장에는 불륜을 저질렀다는 사실이 나와 있고, 증인 유병세의 말에 따르면 아내 이수진은 평소에도 남편의 의심 때문에 힘들어 했다는 점을 알 수 있다.

즉, 사건 발생 전부터 아내의 불륜을 알고 있던 피고인이 원한을 품고 살해한 것이다. 피해자의 사망 시각은 새벽 4~6시로 추정되는데, 사체의 강직 상태(몸이 굳는 상태)를 보아 사망 시간이 5시 이전이라는 것을 알 수 있다.

새벽 5시경 피해자와 함께 있었던 것은 남편밖에 없다.

그리고 시반 (사체에 일어나는 반점)을 보아도 사망 시각은 7시 이전이라는 것을 알 수 있다. 화재 시각을 추정하기 위해 컴퓨터 화재 모의 실험을 실시했고, 안방문을 연 시간, 안방문 손잡이의 온도, 발화지점과 연기가 처음 발견된 곳의 거리 등을 고려해 볼 때 6시 40분에서 7시 10분 사이에 불이 난 것으로 보인다는 해저드원 화재 실험 담당자의 증언도 들어볼 수 있다.

또, 피고인의 살해수법이 1년 전 비디오 가게에서 빌려본 영화 내용과 비슷하다는 걸 보아 피고인이 영화를 보며 살인 계획을 세웠을 가능성도 배제할 수 없다. 사체 부검 결과와 그동안의 정황들이 피고인이 범인이라는 것을 증명하고 있다.

- 피고인은 아내의 불륜 사실을 다 알고 있었기에 살인은 명백한 사실임.
- 감식자료나 법의학자들이 주장한 사망 추정시간은 피고인이 출근 전인 7시 이전 이었음.
- 검찰측은 화재발생시간을 입증하기 위해 컴퓨터 시뮬레이션 실험을 의뢰함.
- 사체사진에 나타난 양측성 시반을 근거로 사망시간이 오전 7시 이전임을 주장함.
- 위 내용물을 근거로 사망시간을 새벽 1시경이라고 주장함.
- 검찰측이 범행도구로 커튼줄을 제시함.
- 컴퓨터 시뮬레이션에 의한 화재 발화시간 추정은 피고인이 출근하기 전인 7시 이전일 가능성이 크다는 결과가 나옴.
- 피의자의 살해수법이 그가 빌려본 영화비디오와 유사한 면이 있다고 주장함.
=> 극형에 처해야 마땅함.

3. 변호사

시에 집을 나선 피고인이 화재가 발견된 시각인 8시 40분에 불을 낼 수 있을까? 아무리 장롱 속이지만 피고인이 출근한 지 두 시간 지나서 불이 번졌다는 것은 말도 안되는 일이다.

피고인은 아내의 불륜 사실을 경찰 조사 때 처음 알게 된 것이다. 물의 온도가 높을수록 시체의 강직은 빨라지게 되는데, 초기 현장 검증과 수사의 소홀함으로 인해 욕조의 물의 온도조차 제대로 측정되지 않아 사망 추정 시각을 제대로 추정할 수가 없다.

또한, 현장에 직접 간 것이 아닌 사진만을 보고 사망 시각을 판단하는 것은 불확실하다.

외국 법의학자 토마스 크롬페처의 증언에 따르면 뜨거운 물 속에서는 2~3시간만에 사체의 완전 강직이 발생할 수 있으므로 7시 이후에 사망했을 가능성이 더 많다는 의견을 들어볼 수 있었다. 그리고 화재 현장과 동일한 환경에서 화재 현장을 재현해본 결과, 발화 후 1~2분만에 흰 연기가 나오고, 6분만에 검은 연기가 방문 밖으로 나오는 것을 확인할 수 있었다.

즉, 발화 시각은 8시 40분경으로 추정되며 피고인의 출근 이후인 7시 이후에 제3의 범인이 범죄를 저지른 것이라고 생각할 수 있다. 장롱이라는 좁은 장소에서 화재를 한 시간 반 동안이나 지연시킬 수는 없다. 피고인은 범죄를 저지르지 않았다

- 사망추정시간에 영향을 미치는 물의 온도를 고려하지 않은 점에 대해 의문을 제기하여 "온도가 높을수록 사체의 강직은 급속히 빨라짐."의 결과를 얻으면서 피해자 사망시간 추정시 욕조 물의 온도조차 고려하지 않았음이 드러나면서 우리나라의 허술한 검시제도가 문제점으로 부각됨.

- 위 속 내용물에서 밥이 발견됐다면 소화시간이 더 걸리는 야채[당근]도 발견되야 한다고 의문 제기함.
- 사체의 위 내용물에서 야채[당근]가 발견되지 않은 것으로 보아 위속에서 발견된 밥은 저녁식사가 아니라 아침식사이며 사망시간은 7시 이전이 아닌 최소 9시 이후라고 주장함.
- 시체의 강직은 높은온도에서 빨라지며 43~37도에서 3시간 경과 완전 경직하므로 7시이후 사망 가능성이 높음.
- 피고인의 무죄입증을 위해 화재발생 당시의 조건을 기본으로 실제 화재실험을 실시한 결과 범인은 피의자가 아닌 제3의 인물이라고 주장함.
=> 피고인은 결백함.

4. 판사

다른 용의자였던 유병세는 알리바이가 입증되었고, 피고인이 아내의 불륜 사실을 알고 있었다는 점을 보아 범행 사실이 인정되고, 증거 밀집 지역인 아파트에 방화했다는 사실 또한 인정됨. 사회적 위험성이 크고 죄질도 악질적이기 때문에 1심에서는 사형을 선고한다.

하지만 정황 동기는 의심되나 증명력에 의문이 들고 피고인이 범인이 아닐 수 있다는 여러 정황들이 있기 때문에 항소심 선거 공판에서는 무죄를 선고한다.

초기 현장 검증과 수사의 소홀함으로 인해 직접적인 증거가 남아 있지 않아 판결에 어려움이 생기게 되었다.

중요한 간접 증거들이 변호사 측이 제시한 해외

법의학자의 증언(높은 온도에서는 사체의 완전 강직이 빠르게 발생할 수 있다.)과 화재 재현 실험(장롱이라는 좁은 장소에서 화재를 한 시간 반 동안이나 지연시킬 수 없다.)을 본 결과 그 증명력이 줄어들었다.

모든 간접 증거들을 종합하더라도 공소 사실을 뒷받침할 수 있는 증명력이 없기 때문에 최종적으로 무죄를 판결한다.

- 1심 : 정황증거로 볼 때 범행 사실이 인정되고, 주거 밀집 지역인 아파트에 방화사실이 인정되고, 사회적 위험성이 크고 죄질 또한 잔학함. -> 사형 선고

- 항소심 : 피고인을 의심하게 하는 정황동기는 있으나 정황증거들의 증명력에 의문이 들고 피고인이 범인이 아닐 수 있다는 정황들이 있음. -> 무죄

실체적 진실주의와 무죄추정의 원칙 그 경계에 선 사건들

- 판결 : 이 사건은 공소사실에 대한 직접 증거가
  없고 가장 중요한 간접증거들이 새로 조사된 해
  외 법의학자의 증언이나 화재 재현실험 결과 그
  증명력이 크게 줄어들었음. 모든 간접증거들을
  종합하더라도 공소사실을 뒷받침할 수 있는 증
  명력은 없음.
=> 무죄

원심판결

서울지방법원 서부지원 1996. 2. 23. 선고,
95고합228 판결

환송전당심판결

서울고등법원 1996. 6. 26. 선고, 96노540 판결

환송판결

대법원 1998. 11. 13. 선고, 96도1783 판결

주문
원심판결은 파기한다.
피고인은 무죄

2심

서울고등법원 2001.2.17 선고 98노3116 판결

가.살인나.현주건조물방화

이 사건 공소사실을 기초로 원심판결이 인정한 범죄사실

피고인은 1987. B대학교 의과대학을 졸업한 후 같은 해 3.부터 서울에 있는 C병원에서 근무하던 중, 내성적이고 조용하며 참을성이 많은 성격의 피고인과 적극적이고 활달한 성격의 피해자 D(만 30세)가 잘 맞다고 생각한 위 병원 간호사인 D의 언니 E의 소개로,

1988. 겨울쯤 F대학교 치과대학 본과 2학년에 재학 중이던 위 피해자를 알게 되어 1989. 11. 11. 결혼을 하였고, 1992. 2. 군에 입대하여 1992. 4. 27.부터 1995. 4. 27.까지 강릉시에 있는 G병원에서 공중보건의로 근무하였으며, 1995. 6. 12. 서울 강서구 H 에 A외과의원을 개원하였고, 피해자 D는 1991. 2. 25. F대학교 치과대학을 졸업한 후 같은 해 6. 10.부터 1992. 6. 10.까지 서울 I 보건소 치과의사로 근무하다가 1992. 6. 12. 서울 은평구 J 에 K치과를 개원하였는데,

결혼 초기 D가 학생이라 피고인을 뒷바라지하기에 적절치 않다는 이유로 시가에서 탐탁하게 여기지 않은 면이 있었고, 결혼 후 피고인의 동생으로서 당시 학생이던 L, 당시 회사원이던 M과 함께 살던 중 위 피해자와 L 등이 원만하게 지내지 못해 1년만에 L 등과 헤어져 살게 되면서 시가와 위 피해자와의 관계가 멀어졌으며,

남달리 돈에 집착하고 금전문제에 철저한 위 피해자가 장남인 피고인 때문에 시가로부터 경제적인 도움을 장차 요구당할 것을 미리 경계하는 등으로 돈 문제로 많이 힘들어하면서 불만을 가지는 등 시가와 위 피해자와의 관계가 더 멀어져 피고인이 그 사이에서 무척 힘이 들었고,

M이 전주로 내려간 후 1991. 3. 19.경 사망하여 그 충격으로 부(父)인 N이 정신질환을 앓게 되자 그 자책감으로 상당히 괴로워하던 중 이혼까지 거론되는 등 피고인과 위 피해자와의 관계도 상당기간 갈등이 있었을 뿐만 아니라,

매사에 적극적이고 활발하지만 독선적일 만큼 자

기주장이 강하고 고집이 세며 이기적인 위 피해자가 집안의 경제적인 면을 모두 혼자서 관리하며 매사를 피고인의 의견보다는 자신의 뜻대로 처리하여도, 피고인의 성격 및 수입의 정도와 관리의 관심 등에 관한 현실적인 경제적 열등 지위 때문에 위 피해자의 뜻에 거의 그대로 따르는 등 피해자 D와 형식적으로는 피고인이 인내하여 별 문제가 없는 부부로서의 관계를 유지하여 왔으나,

실질적으로 굴종적 불평등의 관계에 다름 아니어서 피고인이 부지불식간에 감정적으로 억압된 의식적, 무의식적 증오심과 불만을 품어왔고, 피고인이 위 G병원에서 근무를 하던 별거 기간 동안 D의 몇 차례 외박 등으로 위 K치과 인테리어공사를 하였던 O과의 깊은 관계를 짐작하였는데, 그후 약 2년간 받으면 그냥 끊는 전화가 계속 오자 위 피해자가 O과의 관계를 지속적으로 유지하고 있는 것으로 의심하는 한편 결혼 후 4년여만인 P일자 뒤늦게 출산한 피해자 Q(만 1세)이 피고인의 친자가 아닐지도 모른다는 일말의 의심을 내심 가지고 있었고,

외과의원을 개원하는 과정에서도 외과의 전망이 좋지 않다는 이유로 종합병원에의 취직을 원하는 피해자 D와의 사이에 다툼이 있었으며, 위 피해자가 개업비용을 대부분 금융기관으로부터 대출을 받아 마련하면서 피고인에 대하여 불만을 가지고 있어 피고인도 개업과 관련한 불편한 심기를 가지고 있는 등으로 피고인의 위 피해자에 대한 잠재적 감정이 어떤 계기를 만나 폭발할 가능성이 있던 중,

1. 1995. 6. 11. 21:00 경 서울 은평구 R에 있는 S아파트 T호 피고인의 집에 도착하여 피해자 Q에게 우유를 먹여 잠을 재운 후 누나인 U으로부터 안부전화를 받고 같은 날 21:30 경부터 피해자 D와 함께 쌀밥, 쇠고기국, 오징어채무침, 김치, 깻잎조림, 조기 등으로 식사를 한 다음 식기세척기를 사용하여 설거지를 하였고, 같은 날 22:30 경 D와 언니 E 사이의 피고인 개원과 관련한 식사약속에 대한 전화통화를 들은 후인 1995. 6. 11. 23:30 경부터 다음 날인 같은 달 12. 06:30 경 사이에 D와 어떤 언쟁(피고인의 누나인 U이 피고인의 외과의원에 시간제로 일하는 문제에 관한 언

쟁이 아닌가 한다)이 발생하여 다투다가 그 다툼이 확대되어 D로부터 시가나 경제적인 문제 혹은 O과의 관계 등에 관련된 부분에 관하여 극단적인 모욕적 언사를 당하자 위와 같이 누적된 억압잠재감정이 폭발한 나머지 D를 살해할 마음을 먹고 잠시 다툼이 중지되어 서로 떨어져 있는 사이에 D 몰래 거실 베란다의 커튼 줄을 끊어 살해도구를 준비한 다음 무방비 상태에 있던 D에게 다가가 등쪽으로부터 목 앞부분에 위 줄을 걸고 뒤에서 묶어 두손으로 힘껏 잡아당겨 졸라서 피해자 D를 살해하고, 상당시간 후 Q도 그 장래 등 여러 사정을 고려할 때 차라리 살해하는 것이 낫다고 엄청난 상황 혼란에 따른 오판을 하고 위 줄보다가는 어떤 줄로 목을 졸라서 피해자 Q을 살해하고,

2. 위와 같이 피해자들을 살해하고 난 뒤 피고인의 혐의회피 방법 등을 고심하던 끝에 위 아파트에 서서히 타들어 가는 방법으로 불을 놓아 수사에 혼선을 주게 할 목적으로, 같은 날 07:00 경 출근할 무렵 밀폐된 위 아파트 안방에 있는 장롱 중간 옷장에 있던 옷에 불을 붙이고 옷장 문을 약

간만 열어 놓아 위 불길이 위 장롱을 거쳐 결국 위 아파트 안방 전체에 번지게 하여 피고인 및 피해자들이 주거로 사용하는 위 아파트 안방을 모두 태움으로써 사람의 주거에 사용하는 건조물을 소훼한 것이다.

피고인 및 변호인의 사실오인 내지 법리오해의 항소이유

법관의 유죄 심증 형성은 합리적 의심의 여지가 없는 증명의 정도에 이르러야 하고, 이와 달리 반대되는 사실의 개연성을 배제할 수 없는 경우, 즉 심증이 부족한 경우에는 합리적인 의심의 여지가 있다고 보아야 하므로, 비록 반대증거보다 우월한 정도의 증명이 있다거나 확실성에 근접하는 고도의 개연성이 있다 하더라도 이러한 사정만으로 피고인을 유죄로 인정할 수는 없는 것인바,

그럼에도 불구하고 원심은, 사건 발생 직전 피고인과 D 사이의 언쟁 과정 및 그 이유, 피고인의 감정의 폭발 등 범행 동기에 관한 사실을 증거 없이 인정하거나, 피해자들의 사망시각 추정에 있어

서 학설마다 차이가 많고 오차범위도 넓어 그 증명력을 부여할 수 없거나 반대사실의 증거로도 사용 될 수 있는 시반, 시강, 위 내용물의 상태 등에 관한 증거 및 피해자들의 친정식구들의 진술들을 유죄의 증거로 거시하는 등 증거의 가치판단을 그르침으로써 피고인에 대한 각 공소사실을 유죄로 인정하였으니, 이는 채증법칙을 위배하여 사실을 오인하거나 증거재판주의 및 자유심증주의라는 형사소송법의 법리를 오해하여 판결에 영향을 미친 위법을 범한 것이다.

三. 당원의 판단

I. 인정사실 및 피고인의 변소

1. 기본적 사실관계

우선, 이 사건에 있어서 다투어지지 않거나 당심 또는 원심에서 적법하게 채택, 조사한 아래 각 증거에 의하여 인정할 수 있는 기본적 사실관계는 다음과 같다.

[증 거]

당심 법정에서의 피고인(제25, 27차) 및 증인 V, U, E의 각 진술

당심 제13차 공판조서 중 피고인의 진술기재

당심 제4차, 제8차 공판조서 중 증인 V의, 제5차 공판조서 중 증인 W의, 제6차 공판조서 중 증인 O의, 제7차 공판조서 중 U의 각 진술기재

원심 법정(제2 내지 5, 19차)에서의 피고인의 진술

원심 법정에서의 증인 X, Y, Z, AA, AB, O, W, AC, E, V, AD, U, AE의 각 진술

검사 작성의 피고인에 대한 각 피의자신문조서, 검사 및 사법경찰관 사무취급 또는 사법경찰리 작성의 AF, AG, AH, AI, AJ, AK, AL, AM, U, V, E, Y, O, Z, AA, AC, AN, AO, AB, AD, AP, AQ, AR, AS, AT, AU에 대한 각 진술조서의 각

실체적 진실주의와 무죄추정의 원칙 그 경계에 선 사건들

진술기재

사법경찰리 작성의 압수조서(수사기록 10-1책 p.136)의 기재

Y, O, W, AB, AV, AS 작성의 각 자술서 및 진술서의 각 기재

AW 작성의 감정서(수사기록 10-1책 p.238)의 기재

가. 피고인과 피해자 D의 가족관계 및 혼인 생활

(1) N, AX의 2남 2녀 중 장남인 피고인(AY생)은 가족으로 누나 U, 남동생 M(1991. 사망), 여동생 L가 있고, AZ, V의 3남 3녀 중 막내인 피해자 D(BA생)는 오빠 AN, BB, AC, 언니 BC, E가 있다.

(2) 피고인은 1987. B대학교 의과대학을 졸업하고 같은 해 3.부터 C병원에서 레지던트로 근무하던 중, 1988. 11. 경 위 병원 간호사로 근무하던 E의

소개로 당시 F대학교 치과대학 본과 2학년에 재학 중이던 D와 교제를 시작, 1989. 11. 11. 혼인하여 처갓집 근처인 서울 은평구 BD에서 동생들인 M(당시 'BE'라는 회사에서 근무), L(당시 대학 1년생)와 함께 거주하였다.

(3) 피고인이 1992. 2. 육군에 입대하자 1991. 6.경 치과대학을 졸업한 후 I 보건소에서 일하던 D는 1992. 3. 경부터 친정에 들어가 생활하면서 같은 해 6. 12. 서울 은평구 J 에 'K치과'를 개원하였으며, 피고인은 1992. 4. 27.부터 1995. 4. 27.까지 강릉시 소재 'G병원'에서 공중보건의로 근무하면서 D가 강릉에 내려오는 대신 피고인이 월 2회 정도 주말에 서울로 D를 만나러 오는 등 별거생활을 하였는데,

P일자 딸인 피해자 Q이 출생하고 1995. 4. 27. 피고인이 군에서 제대함에 따라 D의 명의로 1994. 경 미리 매수하여 두었던 서울 은평구 R에 있는 S아파트 T호를 수리한 후 이에 거주하기 시작하여 이 사건 발생시인 같은 해 6. 12.까지 약 한달 동안 위 아파트에 살았고, 제대 무렵부터 취

업할 병원을 알아보던 피고인은 1995. 6. 12. 서울 강서구 H 에 'A 외과의원'을 개업하였다.

(4) D는 이사 후에도 딸 Q을 친정 어머니인 V에게 맡겨 키우다가 1995. 5. 26.에야 비로소 Q을 집으로 데리고 왔으나, 이후에도 치과에 출근하면서 08:50 경 V에게 맡겼다가 퇴근할 때 다시 데려가는 등 양육을 맡기다시피 하였다.

나. 피고인과 피해자 D 사이의 불화

(1) 피고인과 D의 성격 차이

피고인은 말이 없고 소극적, 내성적인 성격으로서 참을성이 많고 꼼꼼하며 섬세한 편이고, 경제적 문제에는 별로 관심이 없고 검소하며 남과 어울리는 것을 별로 좋아하지 않고 술, 담배를 전혀 하지 않는 등 비사교적이었으나, 피해자 D는 성격이 곧고 활달하며 직선적이고 자존심 및 자신감이 강하며 고집이 세고 당돌하며, 의심이 많고 완벽주의적이며 자기 물건에 대한 애착이 많아 이기적이고, 1993. 봄(AN은 이를 '1992. 7.'로 진술하기도 하였다)에는 오빠인 AN의 대출보증 요청도 거절하는 등 돈 문제에 엄격하여 모든 재산관리는 본인이 직접 하였는데, 이러한 성격 차이 때문에 경제적인 문제를 포함한 모든 집안 일에 있어서 D가 주도권을 쥐고 있었고, 부부싸움을 할 때도 주로 D가 화를 내고 피고인은 가만히 있는 양상을 보였다.

(2) 피해자 D와 시댁과의 갈등

D가 Q을 낳은 이후 조금 나아지기는 하였으나 전반적으로 D와 시댁과의 사이는 좋지 않았는바, 평소 D는 친정식구들 및 동료, 후배들, 심지어 치과 간호사들에게까지 시댁과 관련된 불평을 자주 하였다.

(가) 시동생들과의 갈등

혼인 초기의 약 1년 동안, 당시 학생이던 D는 시동생들의 뒷바라지 등 집안 일을 혼자 하기 어려웠음에도 시동생들이 살림 일을 분담하지 않고 도와주지 않는다는 이유로 갈등을 빚게 되었고, 이로 인한 다툼의 과정에서 피고인이 동생인 M의 뺨을 때리는 일까지 있었으며, D는 피고인에게 시동생들과 따로 살 것을 강력히 요구하기도 하였는바, 결국 M은 6개월 정도 함께 살다가 건강이 나빠져 고향인 전주로 내려가고 위 L도 얼마 후 누나인 U의 집으로 옮겼는데, 이와 같은 갈등으로 인하여 D는 피고인에게 이혼까지 요구하는 등 부부 사이에 불화가 잦았고, 시댁에서도 D를 못마땅하게 생각하였으며, 피고인이 강릉으로 간 다음에도 D는 계속 이혼 이야기를 하였다.

(나) 시부모와의 갈등

D는 남편인 피고인이 장남이라 시댁의 경제적 문제에 있어서 많은 책임을 지는 것에 불만이었고, 시댁 식구들이 이를 당연하게 받아들이면서 나아가 은근히 경제적인 요구까지 한다고 생각하여 평소 시부모들과 다투는 등 사이가 좋지 않았을 뿐만 아니라, 시댁과의 갈등시 피고인이 시댁식구 편을 든다는 이유로 피고인과 자주 싸우기도 하였는데, M이 전주로 내려간 후 얼마 지나지 않은 1991. 3. 19. 경 간염, 장출혈 등으로 사망함으로

써 시댁과의 갈등은 더욱 깊어졌고, 피고인이 강릉에 있는 동안에는 시댁과의 사이가 더욱 멀어졌는바, 한편 위 S아파트를 구입할 당시 피고인은 부모를 모시길 원하였으나, D는 자신의 치과와 가까운 위 S아파트에 7년 정도 살다가 이사를 가게 될 때 시부모를 모시자고 피고인을 설득, 피고인이 이에 동의한 바도 있다.

(3) D와 O의 불륜

D는 K치과를 개업하는 과정에서 내부 인테리어 공사를 한 O과 친하게 지내게 되었는바, 피고인은 위 공사가 끝날 무렵인 1992. 6. 말경 K치과에서 O을 처음 만나 D의 치과대학 동기생인 Z, 후배인 AD 등과 함께 식사를 하였고,

1993. 1. 경에는 치질수술 때문에 C병원에 입원한 D를 문병하기 위하여 찾아온 O을 병실에서 다시 만난 바 있는데, 처갓집과 치과에 전화를 자주하던 피고인은 D가 O과 함께 외출을 자주하고 집에도 늦게 들어오며 가끔 외박까지 하는 것을 알게 되면서 D와 O과의 관계가 심상치 않음을 알아

실체적 진실주의와 무죄추정의 원칙 그 경계에 선 사건들

채고 이 문제로 인하여 D와 전화로 자주 다투었으며, 피고인이 강릉에 있을 때에는 처갓집에 와서 장모인 V가 옆에 있었음에도 D에게 "인테리어 업자(O) 만난 것 아니냐"고 따져 물어 D가 자신을 의심한다고 소리를 지르는 등 심하게 싸운 적도 있다.

한편, D는 치과를 개원할 당시 한달 정도 간호사로 일하던 AE(D의 둘째 오빠 부인)에게 자신이 O과 친하게 지내는 것을 피고인이 싫어한다는 이야기를 한 바 있고,

사건 발생 후 1995. 6. 22. 에는 피고인의 아파트 베란다에서 "어제 집에서 안 잤단다. 이번이 여러 번 째다. - - - 몹시 기분이 나쁘다. 일단 욱하는 기분은 가라앉았으나 - - -"라는 취지의 피고인의 1992. 7. 29. 및 8. 9.자 일기가 입력된 디스켓이 발견되기도 하였다.

다만, 사건 발생 후 유전자 감정결과 O과 Q의 친자관계는 부정되었다.

(4) 피고인의 개업 등 경제적 문제

결혼 후 D는 자신과 친구들을 비교하면서 경제적인 문제로 피고인과의 결혼을 많이 후회하였는데, 언니인 E에게는 피고인이 경제적 관념이 떨어지고 성취욕도 없으며 외과가 전망도 없어 짐을 떠안은 것 같다는 취지의 말을 하고, 치과 간호사인 Y에게는 피고인이 돈에 관심이 없다는 취지의 말까지 하는 등 주위 사람들에게 불만을 토로하였다.

또한, D는 피고인이 외과의원을 개업함에 있어서 일반외과는 수익성이 없고 개업자금도 충분치 못하다는 이유로 취업을 권하면서 개업을 반대하다가 결국 피고인의 취직이 어렵게 되자 피고인의 뜻에 따라 개업에 동의하였으나,

자신의 치과 간호사들에게 "내가 개업할 때에는 혼자 다 했는데 피고인은 자신이 다 해 주어야 되기 때문에 힘들다. 피고인이 제대 후 아침마다 돈을 가져가 미치겠다"는 취지의 불평을 한 바 있고, 개업 무렵인 1995. 5. 경에는 자금사정이 어

려워져 간호사 월급을 가계수표로 지급하기까지 하였는데, 피고인의 개업을 위하여 D는 위 S아파트를 담보로 BF은행에서 금 5천만원을, BG협회에 불입하는 적금을 담보로 BH조합에서 금 5천만원을 각 대출받고, 피고인의 본가에서 보내준 금 2천만원, D의 예금 등 3천만원을 보태어 합계 금 1억 5천만원 정도를 지출함으로써, 결국 피고인의 개업자금 거의 대부분이 D에 의하여 마련되었다.

한편, D는 평소 시댁에서 경제적 기대를 많이 하는 점, 피고인이 경제적 관념이 모자라는 점, 수입이 시집으로 빠져나갈 것으로 예상되는 점 등을 우려하여 자신이 직접 피고인의 병원 수입을 관리할 필요성을 느꼈고, 이에 당시 BI병원 수간호사로 일하던 언니 E에게 피고인이 개업하는 병원의 사무장을 맡아달라고 부탁하였으나, E가 급여나 근무여건이 더 낫다는 이유로 이를 거절한 바 있다.

다. 피해자 D와 O과의 관계

(1) O은 1992. 4. 경 D의 동료 치과의사인 BJ의

소개로 K치과 인테리어 공사를 하게 되면서 D를 만나게 되었는데, 같은 해 5.~6. 경 공사를 마친 후에도 D 및 위 Z, AD 등과 함께 식사를 하게 되고 단 둘이 새벽 2,3시까지 어울리는 등 가까와 지면서 한 달에 7 10회 정도 만남을 유지하다가, 1992. 11. 경 서울 도봉구 수유리 소재 모텔에서, 그리고 다시 1993. 2. 초 성산대교 부근 공사장 D의 승용차 안에서 성관계까지 갖게 되었다(같은 해 3. 28. 경에도 성관계를 가진 것으로 보인다).

(2) D는 치과를 운영하면서 1992. 말경부터 O에 게 금원을 대여하는 한편 나이트클럽을 운영하는 O의 누나 BK로부터 약속어음을 받아 할인하여 주 는 등 O과의 사이에 합계 금 5천만원 이상의 금 전거래를 하였고, 1993. 7. 경에는 O에게 핸드폰 까지 사 주었는데, 같은 해 10. 경 위 할인 어음 이 연속하여 지급거절되고 O 본인의 인테리어 업 체 자금사정도 악화되면서 O이 D에 대한 채무의 변제기일을 3회 정도 어기자 이에 실망한 D는 O 을 멀리 하기 시작하였고, P일자 Q이 출생한 이 후에는 전화 통화만 이어지다가 같은 해 11. 22. O이 금 1천만원을 D의 BL은행 계좌로 송금한 것

실체적 진실주의와 무죄추정의 원칙 그 경계에 선 사건들

을 마지막으로 금전거래가 종료되면서 관계가 소원해졌다.

(3) 그후 O은 K치과로 매월 2,3회 전화를 하곤 하였는데, 같은 해 6. 9. 경 피고인의 개업 병원 인테리어 공사를 부탁하기 위하여 D에게 몇 차례 전화를 하였으나, D가 전화를 받지 않는 등의 방법으로 O의 공사요청을 거절하였다.

(4) 한편, O은 1995. 6. 11. 23:00 경부터 사건 당일인 다음날 10:15 경까지 자신의 애인인 W의 BM아파트 등지에서 위 W과 함께 있음으로써 일응 알리바이가 입증되었다.

라. 사건 직전의 사실관계

(1) 이상한 전화

1995. 5. 초부터(이와 달리 피고인은 원심 법정 제19차 공판기일에서 전화가 사건 1,2년 전부터 하루 2,3번씩 왔다고 진술하였고, 그밖에 '2년 전부터'라는 증거도 일부 있다) K치과에는 오후 2시

이후 무렵 받으면 끊어지는 전화가 오기 시작하였는데, D는 간호사인 Y에게 집에도 이와 같은 전화가 와서 피고인이 자신을 의심한다고 말한 일이 있고, 피고인의 아파트에서 집들이 모임이 있던 1995. 5. 27.에도 20:00 경 4,5차례 위와 같은 전화가 와서 피고인이 받은 일이 있으며, 이와 같은 전화는 사고 2주전까지 계속되었다.

(2) 피고인의 Q에 대한 태도

1995. 5. 27.의 위 집들이 모임에 초대받은 Z의 진술에 의하면 당시 피고인은 딸인 Q에게 잘 대해주지 않는 등 이상한 행동을 보였다는 것이고, V 역시 평소 피고인이 D에게 "딸이 너만 닮았다"라는 취지의 말을 자주 하였고 아래와 같이 괌에 여행을 갔을 때에도 주로 V 혼자 Q을 돌보았다는 취지의 진술을 하고 있다.

(3) 괌(Guam) 여행

피고인은 V와 D에게 개업하면 바쁘게 되니 함께 괌 여행을 가자고 제의하여 1995. 5. 31.부터 6.

5.까지 금 300만원 내지 350만원의 경비를 D가 부담하여 괌으로 여행을 갔는데, 피고인은 호텔 방에만 있으려 하고 사진찍는 것을 싫어하였으며 D가 물건을 사려고 하면 사지 말라고 하면서 신경질을 내는 등 여행기간 내내 D와 자주 다투었다.

한편, D는 괌에서 돌아온 후 치과 간호사들에게 여행 이야기도 하지 않는 등 별로 기분이 좋지 않은 상태였는데, 치과 간호사인 Y이 6. 6. 아침 D에게 병원 세무조사 관련 챠트정리 결과를 보고하기 위하여 전화를 하였으나 D가 전화를 받고 3번이나 그냥 끊어버려 나중에 Y이 그 이유를 묻자, "피고인이 옆에 있어서 그랬는데 피고인은 경제적 관념이 없어 병원 이야기를 하면 안된다"라고 말한 바 있다.

(4) 1995. 6. 10.부터 6. 11. 저녁까지의 상황

V는 1995. 6. 10. 토요일 다른 외손녀 BN와 함께 D의 아파트에 와서 잤고, 그 다음날인 6. 11. 일요일 아침 07:30 경 피고인은 전날의 저녁식사

와 마찬가지로 콩나물국으로 아침식사를 한 후 개업준비로 일찍 병원에 출근하였으며, D는 Q, BN와 함께 식빵을 구워 먹고(V는 밥을 먹었다) 낮 12:00 경 위 BD에 있는 친정에 V와 아이들을 내려놓은 다음 백화점에 갔다 돌아와 저녁을 먹지 않고 샤워만 한 후 19:00 ~ 20:00 경 Q을 데리고 아파트로 귀가하였는데, 당시 V는 D에게 딸기, Q이 먹을 분유 및 이유식을 섞어 담은 1회용 분유통 2개, 끓여서 소독한 빈 우유병 3개(마개, 젖꼭지, 병을 모두 결합한 상태)를 싸주는 한편, Q이 그날 오후 4시 경 먹고 남은 죽(원래, V는 위 죽이 당근, 시금치를 쌀과 함께 끓여 만든 것이라고 진술하였다가, 환송 전 항소심 판결 선고 직후 검찰이 당근, 시금치를 잘게 다져서 고기와 함께 끓인 후 채로 걸러낸 국물에 쌀을 넣어 끓인 것이라고 죽의 조리방법에 관한 주장을 구체화하자, 그 진술 내용을 검찰측 주장과 같은 취지로 번복하였다)을 Q과 같이 먹으라고 그릇에 담아 주었다.

(5) 1995. 6. 11. 밤의 상황

(가) D는 같은 날 20:00 경 V로부터 잘 도착하였

는지를 묻는 전화를 받고, 포기김치를 담아달라는 말과 함께 당시 피고인이 아직 귀가 전으로서 Q 때문에 바빠 저녁식사를 준비하지 못하였는데 배가 고프다는 취지의 말을 하였으며, 피고인은 20:30～21:00 사이에 귀가하였는데, 21:00 경 다시 걸려 온 V의 전화를 피고인이 받아 저녁식사를 하였다고 말하였고, D는 죽은 저녁에 벌써 다 먹었다고 대답하였다.

(나) 그후 피고인의 누나인 U은 21:30 경 안부인사 겸 개원 일자를 묻기 위하여 피고인에게 전화를 하면서, "전주에 살고 있는 여동생 L의 차량 접촉사고를 경찰관인 U의 남편 공소외 BO이 처리하여 주었음에도 인사가 없다"는 이야기를 하였고, 피고인은 D와 개업식 일정 등을 상의한 후 U에게 다음날 개원한다는 말과 토요일 개업식에 오라는 말을 하였는데, 한편 U은 20～30분 후 위 불평 이야기를 동생인 L에게 전하지 말라고 당부하기 위하여 피고인에게 다시 전화를 하였다가, D가 전화를 받아 피고인이 Q를 재우는 중이라고 하기에 전화를 끊었고, 5분쯤 후 피고인으로부터 전화를 받아 위와 같은 당부를 하고 전화를 끊었

다.

(다) 당시 피고인은 병원 간호사로 AF, AG 등 2명만을 채용하고 아직 사무장은 구하지 못하였으므로, 그 중 AG에게 사무장을 구할 때까지만 아침 8시부터 밤 9시까지 근무하여 줄 것을 6. 10.경 요청하여 승낙을 받아둔 상태였는바, 개업준비기간 중 D는 언니인 E를 병원 사무장으로 근무하게 하면 어떻겠냐고 피고인에게 제의하였으나 피고인이 좋은 직장 놔두고 개인병원에서 일할 수 있겠느냐고 답하여 거절당한 일이 있고, 한편 이와는 별도로 피고인은 그전에 D로부터 U(1978. BP대학교를 졸업한 때부터 결혼 직후인 1981. 9.경까지 간호사로 근무한 적이 있다)이 피고인의 병원에서 일 할 생각이 있다는 말을 하였다는 이야기를 들은바 있으므로, 위 두 번 중 처음의 통화에서 U에게 이 점에 관하여 "간호사도 다 구했고 가족끼리 하는 것은 좋지 않다"는 취지의 말을 하였고, 이에 대하여 U은 그런 의사가 있었지만 아이들 때문에 어렵겠다고 대답하였다.

다만, 사건 이후 위 문제에 관하여 U은, D가 개

업에 동의하여 준 것이 고마워 1995. 3. 경 피고인의 개업준비과정을 도와주고 싶다는 의미에서 D에게 인사말로 "도울 것이 있느냐"고 말한 적이 있을 뿐 간호사로 일하고 싶다는 말은 한 적은 없는데, 이에 대하여 오해를 한 듯 싶은 D가 식구들이 같은 병원에서 일하는 것은 좋지 않다면서 이를 완곡히 거절하였다는 취지로 진술하고 있다

(라) 피고인과 D는 22:00 경 쇠고기 미역국 등으로 저녁식사를 끝냈고, D는 22:30 경 언니 E에게 전화를 하여 6. 17. 토요일 개업식에 오라는 이야기를 하면서, 이제 자려고 한다는 E에게 "밤 10시 반인데 벌써 자냐, 나는 이사온 후로 밤 12시 이후에는 자 본 적이 없다"고 말하는 등 일상적인 대화를 나누었고, 당시 특별한 내용의 대화나 감정의 토로 등은 없었다.

(6) 개원일의 결정

한편, D는 개원일에 거의 즈음하여 E에게 "원래의 개원일은 6. 15.인데 피고인이 병원 운영을 빨리 하고 싶다면서 갑자기 6. 12.로 앞당겼다"고

말한 일이 있고, V는 사건이 발생할 때까지도 피고인이 6. 15. 개원을 하여 6. 16. 개업떡을 돌리고 6. 17. 토요일에 개업식을 하는 것으로 알고 있었다.

마. 사건 당일의 사실관계

(1) 피고인은 6. 12. 월요일 07:00 경 집을 나와 쓰레기봉투 1개를 버리고 08:05 경 흑색 서류가방, 짙은 색 볼링가방(45㎝ x 60㎝), 종이 쇼핑백 각 1개를 들고 위 방화동 소재 병원에 도착하였다.

(2) 통상 D는 V에게 딸인 Q을 맡기기 위하여 08:30 경 집을 나서 10분 내지 15분 정도이면 V의 집에 도착하는데, V는 6. 12. 아침 Q을 다시 큰딸에게 맡기고 병원에 갈 일이 있어 D에게 빨리 오라고 말하기 위하여 08:20 ~ 08:30 경 T호로 전화를 하였지만 아무도 받지 않았고, 교통사고 발생을 걱정하면서 D를 기다리던 V는 09:10 경 K치과 간호사로부터 불이 났다는 전화를 받고 놀라 바깥에서 D를 계속 기다리다가, 09:30 ~ 09:40

경 피고인에게 전화하여 "아파트에 불이 났다고 하는데 D가 아직 안 와서 큰일이다"라는 취지의 이야기를 하였는바, V의 진술에 의하면 당시 피고인은 위와 같은 전화를 받고도 놀라지 않고 "그래요"라고 하면서 일방적으로 전화를 끊어 이상하게 생각하였다는 것이다.

(3) K치과 간호사인 Y은 같은 날 아침 09:10 경 및 그로부터 15분 후 등 2차례에 걸쳐 S아파트 주민으로부터 D의 집인 T호에서 연기가 나온다는 전화를 받았고, 다시 약 15분 후에는 불이 났다는 전화를 받았다.

(4) 피고인은 10:00 ~ 10:30 경 K치과로 전화하여 간호사인 Y과 통화를 하였는데, 동인으로부터 아파트에 불이 났다는 말을 들은 피고인은 "알았다"고 하면서 전화를 끊고는, 자신의 간호사들에게 "아무래도 못 나올 것 같다. 환자들이 오면 아직 개원을 하지 않았다고 하고 연락이 없으면 6시경 퇴근하라"고 말한 후 병원을 나갔다.

(5) 한편, 피고인과 BQ호에 사는 AR은 09:00 경

BR호에 거주하는 BS으로부터 T호에 불이 났다는 이야기를 듣고 K치과에 전화 연락을 하였고, 그후 D의 친정에도 전화를 하였으며, 10:00 경에는 피고인으로부터 전화가 와 피고인에게 집에 불이 났다는 말을 해 주자 피고인은 D로부터 연막탄(바퀴약)을 피운다는 말을 못 들었다는 대답을 하였다.

바. 사건 직후의 사실관계

(1) 연락을 받고 아파트에 도착한 V가 집안으로 들어가려고 하였으나 경찰관들의 제지로 들어가지 못하였고, 10분 내지 20분이 지나 피고인이 왔는데, V가 본 바에 의하면 피고인은 피해자들이 사망하였다는 말을 듣고는 안에 들어가려 하지 않고 입구쪽에 팔을 엇갈리게 잡은 채 쭈그리고 앉아 있었다는 것이다.

한편, 경찰은 사건 당일 피고인을 조사하던 중 피고인의 우측 상완부에 손톱에 의하여 눌린 자국이 있음을 발견하였는데(수사기록 10-2책 p.163 및 10-3책 p.6 참조), 자신의 손톱에 의한 것인지 타인의 손톱에 의한 것이지는 불명하나, 그 모양은 피고인의 우측에서 보았을 때 「) 」의 형태로 되어 있다.

(2) 피고인은 사건 다음날인 1995. 6. 13. 03:30 경 BI병원 영안실에서, V에게 "D에게 콩나물국을 끓여주었는가요"라고 묻는 한편 "미안해요, 미안해요"라고 말하였고, 같은 날 13:30 경에는 D의 오빠인 AC을 사건 이후 처음 보자마자 "경찰이 자기를 의심하지만, 나는 범인이 아니다"라는 말을 하였으며, D의 언니인 E에게는 "6. 11. 밤 D와의 전화통화에서 무슨 이야기를 하였느냐"는 취지의 질문을 하였다.

(3) 한편, V 등 D의 친정식구들 진술에 의하면, 피고인이 영안실에서 많이 울지 않고 D의 사체나 친정식구들의 얼굴을 보려 하지 않는 등의 태도를 보였고, 6. 14. 벽제화장터에서도 피해자들을 화장할 당시 밖에서 다른 의사와 함께 자신에 대한 수사상황에 관하여 이야기하는 등 장례절차에 대한 관심이 없는 것처럼 보였으며, 또한 장례식 후 처갓집에서도 피고인은 V에게 "치실로 이빨 사이를 쑤시면 피가 묻지요"라고 물어, D의 가족들이

이상하게 생각하였다는 것이다.

사. D와 Q의 생활습관

V는 D의 혼인 후에도 피고인이 강릉에 있는 동안 함께 기거하였고 집이 서로 가까웠으며 Q의 육아 및 김치 등 반찬 준비를 전부 하여 주었기 때문에 D 및 Q의 생활에 관하여 잘 알고 있었는바, 이와 같은 V와 D의 다른 친정식구들 진술에 의하여 인정되는 피해자들의 생활습관은 다음과 같다.

(1) D

① 밤에 늦게 자고 아침에 07:00 경 일어나서 08:10 경에는 출근을 하여야 하므로, 이와 같은 출근 준비 및 잠에서 깬 Q을 돌보느라고 바빠서 통상 아침에는 샤워는 물론 머리도 감지 않고 저녁에만 샤워를 한다 ② 고등학교 다닐 때에는 살을 뺀다는 이유로, 결혼 이후에는 위와 같이 바쁘다는 이유로, 평소 아침밥은 잘 먹지 않고 일요일 등 시간이 있을 때에만 가끔 빵 종류를 먹었으므로 V는 항상 D에게 아침을 먹고 다니라고 충고하

였고, 한편 D는 밥 한 공기를 세 번에 나누어 먹을 정도로 끼니마다 소식(小食)을 하는 편이었다 ③ 반찬은 냉장고에서 통 그대로 꺼내어 먹은 후 다시 그대로 냉장고에 넣는다 ④ 전기를 절약하기 위하여, 아침에 사용한 식기는 물에 대충 헹구어서 그냥 식기세척기에 넣고, 저녁에 사용한 식기를 헹구어서 아침에 사용한 식기와 함께 세척 가동한 후, 다음날 아침 07:00 경 식기를 꺼내어 선반에 정리하는데, 그밖의 집안 일은 출근하느라고 바빠서 정리를 제대로 못하고 나간다 ⑤ 아이를 더 갖기 위하여 아침 저녁 1회씩(다만 그 복용 횟수에 관하여, 피고인은 잘은 모르나 이 사건 전까지 하루 1번 복용하는 것으로 알고 있었다고 진술하고 있고, 또한 증거로 제출되지는 아니하였으나 수사기록 10-6책 p.292의 수사보고는 아래 한약을 D가 1일 1회만 복용한 것으로 보인다고 기재하고 있다) 식후에 한약을 전자레인지에 데워 먹는다 ⑥ 양안 시력이 0.01인 D는 소프트렌즈를 착용하는데, 아침에 출근하기 전까지는 안경을 착용하고 출근 무렵 세수한 후 렌즈를 착용한 다음 화장을 하고, 밤에는 귀가 후에도 계속 렌즈를 착용하고 있다가 자기 직전 몸을 씻을 때 화장을 지우고 렌즈를 뺀 뒤 세수한 다음 잠을 잔다 (화장과 렌즈의 착탈 순서에 관하여 V는 일부 진술의 번복이 있었으나 당심 제27차 공판기일에서 최종적으로 위와 같은 순서로 정리, 증언하였다) ⑦ D는 의심이 많아 혼자 있을 때에는 항상 문을 꼭 잠그고 생활한다.

(2) Q (수유 습관)

피고인의 제대 직전(1995. 4. 초순경)까지는 낮에 2, 3시간 간격으로 우유만 먹다가 제대 직후 돌을 지나 죽을 먹기 시작하면서 우유는 많이 안 먹었고, 낮에는 죽을 먹으므로 밤에는 죽을 잘 먹지 않는 대신 우유를 먹는데, 죽을 먹기 시작한 위 4. 초순경부터 사건 당일까지의 2개월 남짓 동안 V가 관찰한 바에 의하면 밤 21:00 경 반병, 24:00 경 나머지 반병, 새벽 03:00 경 1병, 아침 06:00~07:00 경 다시 1병 등 도합 3병을 먹는다는 것이고, 다만 그 이전에도 밤새 3병 정도를 먹기는 하였으나 그 횟수가 더 많았다는 것이다.

(3) 우유병

Q이 밤에 우유를 3병 마시므로, V는 퇴근길에 들르는 D에게 깨끗이 씻은 빈 우유병 3개를 마개를 꽉 잠그지 않고 살짝 돌려 닫은 상태로 분유 및 이유식을 담은 1회용 분유통 2개와 함께 싸주고, D는 밤새 위 2개의 분유통을 사용하여 만든 우유병 2개로 Q에게 우유를 먹인 뒤 아침에는 나머지 우유병에 새로 탄 우유를 담아 Q에게 먹이는데, D가 이와 같이 사용한 우유병 3개와 분유통 2개를 출근길에 V에게 갖다주면 V가 물을 붓고 솔로 씻은 후 뜨거운 물에 넣어서 소독한 다음 다시 퇴근길에 들르는 D에게 돌려주는바, 통상 D가 갖다줄 때에는 우유병이 다 말라 바닥부분은 잘 안 닦이므로 솔로 닦은 후 소독을 하게 된다.

한편, D는 밤에 Q에게 우유 반병을 주고 나서 침대 옆 머리맡에 놓고 이를 다시 사용한다.

2. 화재 사실 및 피해자들 사망 사실의 발견 경위

위 경위에 관하여는 경비원 BT과 인근 주민들의 진술이 조금씩 엇갈리고 있으므로, 각별로 살펴보기로 한다.

가. X의 진술

[증 거]

사법경찰관 사무취급 작성의 X(제1,4회)에 대한 각 진술조서의 각 진술기재

X 작성의 진술서의 기재

[진술 내용]

S아파트 BU동 경비원인 X은 6. 12. 07:00 경 피고인이 양손에 쓰레기봉투를 들고 경비실 앞을 지나가 BU동 앞 주차장 모서리에 있는 쓰레기장에 버리는 것을 보았고, 07:15~07:20 경 BT과 교대하였다.

나. BT의 진술

[증 거]

당심 제3차 공판조서 중 증인 BT의 진술기재

원심법정에서의 증인 BT의 진술

검사 및 사법경찰관 사무취급 작성의 BT에 대한 각 진술조서의 각 진술기재

사법경찰관 작성의 실황조사서 중 BT의 진술기재 부분

[진술 내용]

BT은 6. 12. 07:20 경 위 X과 교대한 후 08:10 경 시계를 확인하고 나서 10분 정도 지난 08:20 경{BT은 1995. 6. 12. 작성된 진술조서(수사기록 10-7책 p.246)에서는 "08:20 ~ 08:30 경" 연기를 목격하였다고 진술하였다가 같은 날의 실황조사 (같은 책 p.40) 당시에는 "08:20 경"으로 그 시각 을 특정하여 진술한 후 이를 유지하였다} 경비실 앞에 서 있을 때 BV호 복도 쪽에서 연기가 약간 씩 나는 것을 목격하고, 바로 BV호에 인터폰을

하여 BW에게 바퀴벌레 잡는 연막탄을 피웠느냐고 물자 "아니다"라는 대답을 들었는데, 다시 BX호에서 복도에 있는 빗물파이프에서 연기가 난다는 인터폰 연락이 와 10층에 올라가서 8층까지 내려오며 약 20분간 연기나는 곳을 찾아다니던 중, BY호의 BZ이 T호에서 연기가 난다고 하여 확인해 보니 T호의 현관과 복도 쪽 작은방의 창문 틈에서 뽀얀 연기가 약간씩 새어 나오고 있었는데, BT의 추정으로는 그 시각이 08:40 경이라는 것이다.

당시 연막탄을 피운 것으로 생각한 BT은 T호의 문이 잠겨 있자 일단 경비실로 내려왔는데, 담배 1대를 거의 다 피울 무렵 T호와 같은 층의 BR호에서 연막탄이 아니고 불이 난 것 같다는 인터폰 연락이 와서 혼자 다시 올라가 T호의 복도 쪽 창문을 열어보았더니 시커먼 연기가 많이 나와 그제서야 불이 났다는 사실을 알게 되었고, 이에 경비실로 내려와 망치와 손전등을 들고 다시 올라가 창문 방범 창살을 뜯고 실내로 들어갔는바, 불이 난 것을 알고 망치 등을 가지러 경비실로 내려온 시각이 BT의 추정으로는 09:00 경이라는 것이다.

집안으로 들어간 BT은 연기가 너무 많아 앞을 볼 수 없자 잠겨있던 보조 잠금열쇠를 열어(고정핀은 눌러져 있지 않았음) 현관문을 열고 나왔다가 다시 들어가 안방을 열어보니 바닥에는 그을음이 가득 묻어 있고 요가 펼쳐져 있어 이를 끄집어낸 후 복도에 있던 소화기를 들고 들어가 안방에 뿌리고 나왔으며, 잠시 쉬고 있던 중 소방관들이 도착하였는데, 안방 문을 열고 들어갈 당시 문짝에 손을 댄 느낌으로는 미지근한 정도의 온도로서, 나중에 경찰관들이 다시 나무판을 가열한 뒤 비슷하다고 느낀 온도를 표면온도계로 측정하니 '32~34℃'라는 결과가 나왔고, 또한 BT의 추정으로는 안방 문을 연 때로부터 20분 정도 지나 소방관들이 도착하였다는 것이므로, 소방관들의 도착시각이 09:30 이라면 안방문 개방시각은 정확한 것은 아니나 '09:10 경'이라는 것이다.

다. 소방관들의 진술

[증거]

당심 제2차 공판조서 중 증인 CA의 진술기재

원심법정에서의 증인 CB의 진술

검사 작성의 CA에 대한 진술조서, 사법경찰관 사무취급 작성의 CB, CA에 대한 각 진술조서의 각 진술기재

CB 작성의 진술서의 기재

[진술 내용]

서부소방서에 피고인의 집인 T호에 불이 났다는 주민신고가 접수되어 09:28 경 위 소방서 CC파출소에서 CA, CB 등 소속 소방관 9명이 출동하여 09:30 경 현장에 도착하였고, 당시 집안에는 연기가 가득 찼으나 화염은 없고 기름 냄새도 나지 않은 상태였는데, 09:35 경 CB가 안방 장롱문이 조금 열려 있어 들여다보니 장롱 바닥에 불씨가 남아 있어 옷가지를 끄집어낸 후 이를 완전히 소화하였는바, 장롱 바닥은 타지 않고 내부 및 천장쪽이 주로 탄 정황 등에 비추어 화재조사관인 CA

은 누군가가 장롱 안에 방화를 한 것으로 결론을 내렸다.

한편, CA은 09:40 경 거실의 연기가 거의 빠져나갔을 무렵 닫혀있던 화장실 문을 열어보고 나서야 비로소 욕조 안에 숨진 채로 있던 피해자들을 발견하였는데, 당시 화장실 내에는 연기가 없었고 욕조에는 물이 거의 가득 찬 상태로 D는 팬티만 무릎에 걸친 채 엎어져 숨져 있었으며, Q은 빨간색 줄무늬의 흰색 러닝셔츠와 기저귀만을 입은 채 좌측으로 비스듬히 누워 나란히 숨져 있었는바, 당시 CA은 화장실 내부 표면에 얼룩진 그을음은 보지 못하였다.

라. 7층 주민들의 진술

(1) BS

[증 거]

당심 제3차 공판조서 중 증인 BS의 진술기재

[진술 내용]

BR호에 거주하는 BS은, 6. 12. 09:10 경(당시 시계를 보았다고 한다) 남편이 출근하다가 T호에서 연기가 나오는 것을 목격하여, BS이 직접 경비원 BT에게 신고하였더니, BT은 연막탄을 피운 것 같다고 하였고, 이에 남편이 내려가 BT을 데리고 올라와 화재를 확인하였는데 당시 시각이 09:20 경으로 생각되며, 다시 BT은 경비실에 내려가 망치를 가지고 다시 올라와 방범망을 뜯는데 5~7분 정도 소요한 후 T호에 들어갔고, T호 진입 전에 BS의 남편은 BV호의 BW에게 119 신고를 부탁하였으며, BT이 T호 문을 열고 나서 7~10분 이내에 소방관들이 도착하였다.

(2) BZ

[증 거]

당심 제2차 공판조서 중 증인 BZ의 진술기재

[진술 내용]

실체적 진실주의와 무죄추정의 원칙 그 경계에 선 사건들

BY호에 거주하는 BZ은 08:30 경 출근하는 남편을 배웅할 때 승강기와 반대 방향에 위치한 T호에서 연기가 나는 것을 보거나 냄새를 맡지 못하였고, 08:50 경 서울 은평구 CD 소재 CE유치원 버스가 S아파트 CF동 앞에 오므로{다만, 당심 제8차 공판조서 중 증인 CG의 각 진술기재, 사법경찰관 사무취급 작성의 CH에 대한 각 진술조서, 당원의 CE유치원에 대한 사실조회회신(공판기록 6-3책 p.1223) 중 일부기재에 의하면, CE유치원 통학버스는 매일 09:10 위 S아파트 앞에 도착하므로 통상 학생과 부모가 5분 전에 나와서 기다린다는 사실이 인정된다} 약 5분 전인 08:45 경 위 유치원에 다니는 아들을 태워주기 위하여 집을 나섰다가 09:00 경 다시 올라오던 중 T호 작은 방 창문 윗쪽에서 연기가 솔솔 나는 것을 보았는데, 마침 8층에서 연기나는 곳을 찾는 BT의 목소리가 들려 여기라고 소리쳐 BT이 내려왔고, 동인은 연막탄을 피우고 말도 안한다고 불평하면서 09:05 ~ 09:10 경 경비실로 내려갔다.

그후 집에 들어온 지 10 ~ 15분 지나 문을 뜯는

소리가 났고, 바로 소방차가 왔다.

(3) BW

[증 거]

당심 제2차 공판조서 중 증인 BW의 진술기재

[진술 내용]

BV호에 거주하는 BW는 07:10 경 남편이 출근할 때 밖으로 나왔으나 아무 냄새나 연기도 없었고, 다만 08:50~08:55 경 경비실에서 바퀴 잡는 연막탄을 피웠냐고 BT이 인터폰을 하여 와 모른다고 하였는데, 그 직후 바로 둘째딸을 S아파트 CI동 앞에 09:05~09:15 경 도착하는 CJ유치원 버스를 태우러 가기 위하여 집을 나섰다가 T호의 다용도실과 작은 방의 창문 위쪽에서 연기가 솔솔 나오는 것을 목격하였으나 소독하는 것으로 생각하였고, 딸을 버스에 태워 보낸 후 집으로 돌아오던 중 09:10~09:15 경 경비실 앞에서 BT을 만나 T호 연기 이야기를 하였는바, 집으로 올라와 있던 중 T호 문을 두드리는 소리에 나가보니 BR호 남자가 무언가 타는 냄새가 난다면서 문을 두드리고 있었고, 잠시 후 BT과 사람들이 T호 방범철망을 부수었으며, BR호 남자가 119 신고를 하여달라고 하여 전화로 신고를 하였다.

3. 현장 상황

[증 거]

당심 제3차 공판조서 중 증인 BT, CK, CL의, 제4차 공판조서 중 CM의, 제5차 공판조서 중 증인 AV의, 제6차 공판조서 중 증인 CN, CO의, 제8차 공판조서 중 증인 CP, CO, V의 각 진술기재

원심법정에서의 증인 X, CQ, CR, CM, CS, CA, CT, CU, AV, CV, CN, V, AV, CW의 각 진술

검사 작성의 CP, AV, CT, CU, V에 대한 각 진술조서, 사법경찰관 사무취급 작성의 CV, CX, CB, CO, X(제2,3회)에 대한 각 진술조서의 각 진술기재

당심법원의 각 검증조서(공판기록 6-3책 p.1227, 6-4책 p.1024)의 각 기재

원심법원의 각 검증조서(공판기록 6-2책 p.639, p.691)의 각 기재

사법경찰관 작성의 실황조사서의 기재

사법경찰리 작성의 각 압수조서(수사기록 10-7책 p.136, 142)의 각 기재

은평경찰서 경장 CY, CL, CQ 작성의 각 수사보고(수사기록 10-7책 p.140, 231, 10-8책 p.61), 순경 CZ 작성의 수사보고(10-8책 p.144), 순경 CR 작성의 수사보고(10-8 책 p.183)의 각 기재

DA 작성의 유전자감식의뢰에대한회신, CP 작성의 감정서(수사기록 10-1책 p.194, 198), CN 작성의 각 감정서(같은 책 p.217, 10-9책 p.10), CP 작성의 감정회보서(같은 책 p.226)의 각 기재

AV, CM, CS, CU 작성의 진술서 또는 자술서의 각 기재

가. BU동 건물 및 주위 상황

S아파트 BU동은 'ㄱ'자 모양으로 꺾여 있고, 왼편에는 DB~DC호가, 오른편에는 DD~DE호가 위치하고 있는 복도식 아파트 건물인데, 오른편 아래쪽 2개층은 화단으로 이루어져 있어 그 5층이 왼편의 7층과 같게 된다.

건장한 남자의 경우, BU동 아파트 앞 주차장 모서리에 있는 쓰레기장 옆의 계단을 타고 올라가서 아파트 뒷편의 철창문으로 폐쇄된 3층 비상구의 옆 담을 넘으면 경비실을 거치지 않고 위 비상계단과 통로를 이용하여 T호로 접근할 수 있다.

나. T호의 내부 상황

서울 은평구 R에 위치한 28평형의 주거용 아파트로서, 7층이라는 위치에 비추어 그 내부는 현관문을 통하여만 출입할 수 있는 것으로 보인다.

(1) 주방

현관으로 들어가서 왼쪽 편에 위치한 주방에는 목재 원탁자가 있고, 그 위 흰 플라스틱 쟁반에는 깨끗이 세척된 젖병 1개, 젖꼭지 1개, 젖병마개 1개 등이 분리되어 놓여 있으며(다만, 1996. 5. 11. 시행된 환송 전 당원의 검증결과 위 분리된 젖병 바닥에 우유찌꺼기가 일부 남겨져 있음이 발견되었다. 공판기록 6-3책 p.1283 사진 참조), 쟁반 옆에도 깨끗한 젖병 1개 외에 2단 짜리 1회용 분유통이 놓여 있는데, 분유통의 상단은 내용물이 있다가 비어진 상태이나 하단에는 1회용 분유 및 이유식 가루가 그대로 남아 있었다.

주방 왼쪽에 설치된 자동 식기세척기는 상, 하단으로 나누어져 있는데, 상단에는 밥그릇 2개, 국그릇 2개, 접시 3개, 다용도 접시 1개, 아기 국그릇 1개 등이 옆으로 정리되어 세워져 있고, 하단에는 유리그릇 1개, 플라스틱 망통 1개와 그 속에 국자 1개, 스푼 3개, 포크 2개, 아기용 스푼 1개, 차 스푼 1개, 젓가락 6개가 들어 있었으며, 모두

실체적 진실주의와 무죄추정의 원칙 그 경계에 선 사건들

깨끗이 세척된 채 건조까지 되어 있었다.

식기세척기 옆에는 씽크대가 설치되어 있고 그 오른쪽에 설치된 개수대 안에는 미역, 쇠고기 등의 찌꺼기가 있는 냄비(V는, 위 냄비가 식기세척기에 넣지 않고 그냥 씻는 것이라고 진술하고 있다)와 뚜껑, 흰 컵 1개, 우유병을 닦는 플라스틱 솔 1개가 있는데, 냄비 안에는 물이 가득 담겨 있고, 개수대 오른쪽에는 물받이가 걸려 있으며 그 안에 유리쟁반 1개, 고무장갑 1켤레, 인조행주 3개가 들어 있다.

주방의 제일 오른쪽에는 냉장고가 설치되어 있고, 그 안에는 콩나물국이 가득든 플라스틱 통, 조기구이 1마리(중간 부분에 젓가락으로 약 1번 정도 찍어 먹었음), 한약봉지 13개, 먹다 남은 찰밥과 된장, 미나리 물김치 등 반찬통들이 들어 있었다.

화장실 입구 오른쪽에 설치된 다용도 서랍장 위에는 부부사진 액자와 2단 짜리 1회용 분유통이 빈 채로 있었고, 서랍 안에서는 현관문 보조키 2개(증 제73호)가 발견되었는데, 위 보조키는 1995.

5. 11. 설치된 것으로서 열쇠는 모두 5개인바, 1개는 안방 바닥에 떨어져 있던 D의 핸드백 안에서 실린더 키와 함께 발견되었고, 2개는 주방 다용도 서랍장 안에서 발견되었으며, 1개는 피고인이 소지하고 다니므로 나머지 1개가 더 있어야 하는데 아직 그 행방을 모르고 있다.

주방은 전반적으로 깨끗하게 정리된 상태였다.

(2) 다용도실

주방 왼쪽 1.5평 정도의 다용도실 오른쪽에 세탁기 1대, 전자레인지 1대, 전기밥통 1개 등이 있는데, 세탁기 안에는 내용물이 없었고, 전자레인지 안에는 한약봉지 1개가 들어 있었으나 온도를 전혀 느낄 수 없었으며, 전기밥통은 깨끗이 세척되어 있었다.

정면의 장식대 위에는 압력솥 1개, 스테인리스 주전자, 비닐 속에 든 식빵 5쪽(입구가 묶여져 있음), 내용물이 있는 분유통 2개 등이 놓여 있고, 위 압력솥과 주전자는 모두 세척되어 있었다.

실체적 진실주의와 무죄추정의 원칙 그 경계에 선 사건들

(3) 안방

안방은 현관으로 들어가서 제일 안쪽 오른편에 베란다와 접해 있는데, 화장대와 5칸 짜리 장롱, 침대가 놓여져 있고, 침대 앞에는 진화 과정에서 BT이 들어낸 아기요가 펼쳐져 있었으며, 화장대 위 흑색 핸드백 안에는 액면 금 10만원의 수표 4매, 1천원권 3매, 신용카드 등이 들어 있었고, 화장대 앞에 떨어져 있던 고동색 핸드백 안에도 현금 116,000원이 들어 있었다.

침대 하단에는 우유가 130㎖ 정도 남은 200㎖들이 우유병 1개가 놓여 있었다.

장롱은 3부분으로 나누어 왼쪽 2칸은 이불장, 가운데 1칸 및 오른쪽 2칸은 옷장으로 되어 있는데, 불이 난 곳은 가운데 칸의 옷장으로 추정되고 그 칸의 천장에는 불에 탄 구멍이 생겼다.

안방 바닥에서는 D의 흰 가운이 발견되었고, 장롱 앞에는 미상의 실뭉치가 떨어져 있었다.

(4) 화장실 (욕실)

현관으로 들어가서 오른쪽에 위치한 화장실은 약 1.5평 가량으로 정면에 커텐이 설치된 욕조가 위치하고 있고, 입구 쪽에는 변기가 있으며, 그 사이에 세면대가, 오른쪽 벽 상단 모서리에는 장식장이 각 설치되어 있고, 환기구는 설치되어 있으나 팬은 설치되어 있지 않다.

한편, 욕조에는 물이 거의 가득 찬 상태로 D는 팬티만 무릎에 걸친 채 엎어져 숨져 있었고, Q은 빨강색 줄무늬의 흰색 런닝셔츠와 기저귀만 입은 채 좌측으로 비스듬히 누워 나란히 숨져 있었는데, D의 얼굴 밑에는 수건과 기저귀 등이 깔려 있었다.

바닥의 아기 욕조통과 화장실 벽 사이에서 연회색 롱 티셔츠(증 제31호)가 접혀져 끼어 있는 것을 발견하고 이를 확인한바, 롱 티셔츠 앞가슴에 꽃무늬 3개가 세로로 새겨져 있고 오른쪽 앞가슴 부위와 등 부위 등에 혈흔 자국(D 본인의 것으로 판명되었다) 및 기타 이물질이 묻어 있었다.

약 1미터 높이의 세면대 위에는 비누 1개, 빗통 1개, 치약 2개, 여자용 분첩 1개, 안경 1개, 맛사지 크림 1개, 콘텍트렌즈 통 1개, 렌즈 세척액 2통 등이 놓여 있었다.

피해자들이 들어 있는 욕조는 물이 채워진 채 배수구가 닫혀 있고, 수도꼭지 손잡이는 중앙에서 왼쪽으로 약 15°방향으로 잠겨져 있으며, 욕조에 받아진 물의 온도는 미지근한 상태였고, 샤워기는 벽에 걸려 있으며, 욕조와 벽면의 경계 부위의 평평한 곳에는 물이 고여 있고 그 위에 곱게 그을음이 앉아 있으며, 한편 원래 물방울이 있는 곳에 그을음이 앉으면 수분이 증발한 후 물방울 형상 그대로 원형으로 자국이 남게 될텐데 바닥이나 세면대, 벽면 등에는 물기나 물방울 등의 흔적은 물론 기타 혈흔 자국 등을 일체 발견할 수 없었는바, 그 외 화장실 안 노출된 전체 부위에는 연기 그을림이 미세하게 깔려 있었다.

(5) 베란다

우측에는 블라인드가, 왼쪽에는 1995. 4. 27. 설치된 로만쉐드 커튼이 걸려 있는데, 위 로만쉐드 커튼은 크기가 210cm x 239cm 이고, 잡아당기는 3가닥의 우측 끈은 커튼을 완전히 감아올렸을 경우 그 길이가 약 240cm 이며, 나일론 재질의 이 끈은 여러가닥의 실을 꼬아 만든 것으로 칼이나 가위 등이 아닌 손으로는 절단이 불가능하고, 천장 롤러에서 벽에 거는 고리까지 20~30cm 간격으로 5, 6개 정도의 매듭(위 커튼을 설치한 CO는 1996. 5. 27. 작성된 사법경찰관 사무취급 작성의 제1회 진술조서에서는 8개의 매듭이라고, 다음날 작성된 제2회 진술조서에서는 7 10개라고 진술한 바 있다)이 지어져 있으며, 고정 고리는 커튼 상단으로부터 132cm, 바닥으로부터 107cm에 위치하고 있고, 커튼을 다 펴면 끈이 고리에서 약 20cm 내려오게 되는 상태로 설치되어 있는바, 사건 발생 후인 1995. 6. 21. 위 3가닥의 끈이 커튼을 다 편 상태에서 맨 윗부분으로부터 약 30cm 남겨진 채 그 아래 부분이 절단되어 없어졌음이 발견되었는데, 잘린 끝부분이 열변형과 함께 그을음이 묻어 있어 화재 전 가위 등 날이 있는 공구에 의하

실체적 진실주의와 무죄추정의 원칙 그 경계에 선 사건들

여 잘린 것으로 판명되었다.

다. 사체감식 (검안)

D, Q의 사체는 6. 12. 11:30경 욕조 속에서 꺼내어져 거실에 펴놓은 이불 위에 옮겨져 검안 및 감식되었고, 바로 현장에 대한 비디오촬영 및 사진촬영이 이루어졌는 바, 사인이 교사로 판명된 두 피해자들의 목에 나타난 색흔에 의하면 우측 뒤에서 끈을 걸어 잡아당겨 살해된 것으로 보인다.

(1) D

화장을 하지 않은 얼굴로서, 눈과 입이 닫혀져 있고, 삼각팬티가 허벅지까지 내려져 있으며, 다리가 뒤로 약 30~40°가량 구부러져 있고, 양 손가락은 모두 안쪽으로 구부러져 이미 경직이 되어 있는 것을 인위적으로 눌러 펴본 결과 잘 펴지지 않을 정도로 완전 경직된 상태였다.

얼굴 우측 협부에는 지름 약 1cm 가량의 찰과상이 있고, 눈을 벌려본바 모두 충혈된 채 소프트렌즈가 끼어 있었으나 눈을 벌리는 과정에서 쉽게 빠져 나왔다.

입을 벌려본 결과 아랫입술 내측에 0.5cm 가량의 타박상이 있고, 아랫니 사이에는 혈흔이 묻어 있으며, 코 속에 응혈된 혈액이 들어 있었다.

앞 목 부위(전경부)는 충혈된 상태로서 2겹의 실이 1조를 이룬 폭 0.2㎝ 이하의 단선의 색흔이 있고, 왼쪽 손가락 시지 손톱 사이에는 혈흔이 낀 상태로 묻어 있으며, 목 뒷쪽(후경부)에도 전경부와 마찬가지로 충혈된 상태로서 왼쪽에서 오른쪽 후두부 목까지 위로 색흔이 있고, 오른쪽의 색흔은 밑으로 서로 엇갈려 나 있었다.

우측 옆구리 부분과 우측 아랫배 부분 및 왼쪽 대퇴부 부분에는 시반(屍斑)이 형성되어 있고, 팬티를 벗겨보니 팬티가 입혀진 허벅지 부분에는 하얗게 흔적이 남아있었으며, 다만 질액 감정결과 D가 사건 당일 성관계를 가진 흔적은 발견되지 않았다.

한편, 의사 CP(국립과학수사연구소 법의학과)은 D 사체 경부의 색흔이 위 끈에 의하여 생겼을 가능성을 배제할 수는 없다고 하고, CV(DF대 사진학과 부교수)는 위 끈과 D 목의 색흔의 굵기가 거의 같은 것으로 보아 단정할 수는 없으나 위 끈으로 목을 조였을 가능성이 크다고 한다.

(2) Q

머리가 좌측으로 돌아 약간 뒤로 젖혀져 있고, 오른손은 위로 뻗은 채로 양손가락과 함께 경직되어 있으며, 눈과 입이 닫혀진 상태였고, 몸 전체에는 어떠한 상흔도 발견되지 않았으나, 목 앞쪽(전경부)이 충혈된 상태에서 단선의 색흔이 있는데 D의 목에 있는 색흔보다는 가늘고, 후경부에도 색흔이 나 있으며 왼쪽 목 뒷부분의 색흔 사이에서 미세한 실가닥이 발견되었고, 오른쪽 등 중앙 부위에도 수술용으로 보이는 실가닥이 묻어 있었는데, 피고인의 외과병원에서 사용하는 수술용 실과는 다른 것으로 판명되었다.

라. 욕조의 물

사체 검안 당시 은평경찰서 DG 소속 CM, CS이 느꼈던 수온의 느낌을 1995. 6. 16. 재현한 결과, 정확하지는 않으나 비슷한 느낌으로 수온을 측정하니 32℃라는 온도가 나왔고, 같은 날 05:30 경 화장실 문을 닫은 채 잠겨있던 욕조 수도꼭지를 그대로 들어 올려 5분 26초 가량 걸려서 같은 양의 물을 채운 후 수온을 측정하니 43℃였으며, 10분 간격으로 측정한 결과 06:00 경 처음 41℃로 하강한 이후 09:30 경 34℃까지 내려갔고, 09:40 경 화장실 문을 개방한 결과 10:30 경 32℃가 된 후에는 11:30 경까지 온도변화가 없었다.

한편, 사건 당일인 6. 12.의 대기온도는 최고 27.2℃ 최저 16.1℃의 온화한 날씨였고, 수온 측정일 전날인 6. 15.의 대기온도는 최고 28.5℃ 최저 18.2℃로서 큰 차이가 없었다.

4. 피고인의 변소 및 관련 사항

가. 피고인의 진술

피고인은 공소사실을 전부 부인하면서, 당심 법정 (제25, 27차)에서의 진술, 당심 제11, 13, 14차 공판조서의 각 진술기재, 원심 법정(제2 내지 5, 19차)에서의 진술, 검사 작성의 각 피의자신문조서의 각 진술기재에 의하여 다음과 같이 변명하고 있는바, 한편 수사기록 10-3책에 편철된 사법경찰관 사무취급 작성의 피고인에 대한 각 피의자신문조서 및 진술조서의 각 진술기재, 피고인 작성의 각 자술서의 각 기재는 피고인이 모두 그 내용을 부인하고 있으므로 이를 각 증거로 삼을 수 없다.

(1) D와 시댁과의 관계

시댁에서 피해자 D에게 경제적 요구를 한 일은 전혀 없었고, 다만 D는 장래 시부모와 함께 살아야 할 집 마련을 걱정하는 등 경제적 문제에 지나치게 집착하는 것 같았다.

(2) 사건 직전과 당일

6. 11. 밤 D는 집에서 입는 롱 티셔츠(증 제31호, 잠을 잘 때에도 이것을 입는다)를 입고 있었고, 22:00 경 피고인과 함께 쌀밥과 김치, 깻잎 조린 것, 오징어채 무침, 조기, 쇠고기 미역국 등으로 저녁식사를 끝낸 후 22:30 경 E와 전화통화를 한 다음 피고인에게 수박을 잘라주고 잠자리에 들었으며, 피고인은 개업준비를 하다가 23:00 경 잠자리에 들었는데, 피고인의 기억으로는 D가 그날 밤 식기세척기를 가동한 것으로 안다.

피고인이 직접 Q에게 6. 11. 밤 21:30 ~ 22:00 경 우유를 먹였고, 6. 12. 새벽 05:00 경 다시 깨어 안방 침대 밑 아기요에서 자고 있던 Q에게 머리 맡에 있던 우유병으로 우유를 먹이고 다시 자다가 06:00 경 일어나 용변을 보고 머리를 감았으며, 샤워를 하였던 것 같기는 하나 잘 기억나지 않는다.

6. 12. 06:30 경 피고인 스스로 아침식사를 차려 먹었는데, 콩나물국을 먹은 것 같으나 정확하게 기억이 나지 않고(당심 제13차 공판조서의 진술기재), 저녁식사와 비슷한 반찬과 조기 반 마리를

먹었으며, 한편 06:20 경 일어난 D가 화장실에 샤워를 하러 들어간다고 하였는데 샤워를 했는지 여부와 화장실에서 흰 가운(증 제32호)을 입고 나왔는지 여부는 정확하게 기억나지 않고, 식탁을 치우려 하자 D는 자기도 먹어야 하니 식탁을 치우지 말라고 하였으며, 한편 D도 Q에게 새벽에 우유를 2번 먹였다고 말하였다.

07:00 경 D는 Q을 안은 채 피고인을 배웅하였는데 당시 D의 옷은 기억나지 않는다(다만, 경찰에서는 당시 D가 흰 가운을 입고 있었다고 하였다가 롱 티셔츠를 입고 있었다고 진술을 번복한 후 마지막으로 위와 같이 기억나지 않는다는 취지로 진술하였다).

연락을 받고 아파트로 가니 경찰이 출입을 통제하여 안으로 들어가지 못하고 밖에 쭈그리고 앉아 있었다.

(3) 사건 직후

6. 13. 13:30 경 BI병원 영안실에서 D의 오빠인

AC에게 자신이 범인이 아니라고 말한 이유는 사건 직후부터 경찰에서 피고인을 범인으로 지목, 추궁하였기 때문에 이를 해명하고 싶어서였고, 장례절차 과정에서도 D의 사체를 보면서 처라고 느껴지지 않는 등 어색한 기분이 들었을 뿐 특별히 이상한 행동을 한 적은 없다.

피고인의 우측 상완부 손톱자국은, 자신은 오른손잡이지만 사고 당일 집에 도착하니 경찰이 출입을 막아 어이가 없어 밖에 쭈그리고 앉아 오른손을 이마에 댄 채 왼손으로 오른팔을 꽉 잡아 끌어당기면서 생긴 상처일 뿐이다(원심 법정 제2차 공판기일 등).

(4) O

피고인이 O을 만난 것은 앞에서 인정된 바와 같이 2차례인데, 피고인이 강릉에 있는 동안 D가 몇 차례 외박한 것은 알았으나 O과의 관계를 의심하여 본 적은 없고, D에게 "늦게 들어오는 이유가 인테리어 업자 때문이 아니냐"고 물어본 일도 없으며, 이 사건 이후 비로소 D와의 불륜관계를 알게 되었다.

(5) D의 생활습관

평소 식사량은 작은 편이었으나 아침식사는 밥 또는 빵으로 반드시 하였고, 항상 식후에는 식기세척기로 설거지를 하였으며, 식기세척기는 아침, 저녁에 식사했던 그릇을 모아 저녁에 한꺼번에 가동하였는데, S아파트에 입주하면서 식기세척기를 구입한 이후 D가 손으로 식기를 세척하는 것은 보지 못하였는바, 사건 당일 아침 피고인이 식사를 하였음에도 불구하고 주방이 깨끗하게 정리된 것에 관하여는 피고인도 의아하게 생각하고 있기는 하나 D가 식기세척기를 가동하였을 수도 있다고 생각한다.

Q이 많이 컸기 때문에 D가 우유병을 별도로 소독하는 일은 없고, 우유를 먹인 후에는 우유병을 물로 씻어놓는 습관이 있다.

나. 'DH' 비디오테이프

원심 법정에서의 증인 DI의 진술에 의하면, 사건 발생 직후 사건 현장에서 위 제목 등이 적힌 메모지가 피고인의 운동복 하의 주머니에서 발견되었는데, 피고인은 1994. 2. 28. 강릉시 소재 DJ비디오점에서 'DH' 및 'DK'이라는 테이프를 빌려 같은 해 3. 2. 반납한 바 있고, 다시 같은 해 10. 26. 근처 DL비디오점에서 'DH'테이프를 빌려 같은 해 11. 12. 반납한 사실, 그 내용은 여자 범인이 남자를 죽여 목욕탕 욕조에 집어넣고 피 묻은 옷 등을 불에 태워 없애는 내용으로서 본건 사고 경위와 유사한 점이 많은 사실을 인정할 수 있는 바, 이에 대하여 피고인은 당심 법정에서(제14차 공판조서의 진술기재) 위 테이프를 2번 대여받은 사실은 맞으나 특별한 이유는 없고 그 내용도 기억나지 않는다고 진술하였다.

II. 판단

1. 이 사건의 쟁점

이 사건 범행 내용은, 일반외과 전공의인 피고인이 자신의 병원 개업일에 즈음하여 자신이 살고 있던 7층의 아파트에서 처인 D와 1살이 갓 지난 딸 Q을 살해하고 아파트에 불을 질렀다는 것인바, 본건 기록상 피고인이 위 각 범행을 저질렀다는 직접적인 증거는 없으므로, 결국 피고인을 유죄로 인정하기 위한 중요한 쟁점은, ① 과연 피고인에게 처와 딸을 살해할만한 범행 동기가 충분한가, ② 피고인은 사건 당일인 1995. 6. 12. 07:00 경 D, Q과 작별인사를 하고 출근하였다고 주장하고 있고, D가 6. 11. 22:30 경 언니인 E와 전화통화를 한 사실 및 피고인이 6. 12. 07:00 경 이 사건 아파트 1층 경비실 앞을 지나 출근한 사실은 앞에서 인정한 바와 같으므로, 피해자들이 6. 11. 22:30 경부터 6. 12. 07:00 경 사이에 사망한 것으로 인정할 수 있다면 피고인이 범인이라고 할 수 있는데, 과연 사망시각을 이와 같이 추정할 수 있는가, ③ 피고인이 방화를 하였다면 출근 시각인 07:00 이전에 하였다고 보아야 할 것이나, 앞에서 인정한 바와 같이 그로부터 1시간 반 이상 지나서야 비로소 경비원 BT이나 인근 주민들에 의하여 화재가 인지되었으므로, 이 사건 화재가 지연 인지된 이유는 무엇이고 그 가능성은 있는 것인가, ④ 피고인의 변소 중 일관성이 없는 부분 또는 그 진술 중 거짓 내용은 없는가, 있다면 그러한 점을 이유로 피고인을 유죄로 인정할 수 있는가 등 4가지 정도의 문제라 할 것이고, 그 중 위 ②③항의 문제는 제3자의 범행가능성과 관련된 것으로서 피고인의 유,무죄를 판단함에 가장 중요한 문제로 보여진다.

따라서, 이러한 문제들을 살펴보는 한편, 아파트라는 밀폐된 공간에서 이루어진 범행의 특성상 목격자나 기타 직접적인 증거가 없는 이 사건에 있어서, 과연 간접증거에 의하여 인정할 수 있는 정황 내지 간접사실을 종합한다면 피고인에 대한 공소사실을 유죄로 인정할 수 있는지, 인정할 수 있다면 어느 정도의 간접증거가 필요한 것인지에 관하여 최종 검토하여 보기로 한다.

2. 범행 동기

가. 검찰의 주장과 원심 법원의 입장

피고인의 범행 동기에 관한 검찰의 주장과 이에 기한 원심 법원의 기본 입장은, (1) D에 대하여,

① D와 시댁 사이의 갈등 ② 경제적 문제를 포함한 집안 문제에 있어서 피고인의 D에 대한 굴종적 불평등의 관계 ③ D와 O 사이의 불륜 ④ 이로 인하여 Q이 피고인의 친자가 아닐지도 모른다는 의심을 갖게 된 점 등 D에 대한 감정이 잠재적으로 누적되어 있다가, 사건 발생 직전인 1995. 6. 11. 밤 피고인과 D 사이에 피고인의 누나인 U이 피고인의 외과의원에서 일하는 문제에 관한 것으로 추정되는 언쟁이 발생하여 서로 다투다가 그 다툼이 확대되면서 위와 같이 누적된 피고인의 억압잠재감정이 폭발한 나머지 D를 살해할 마음을 먹게 되었고, (2) Q에 대하여도, D를 살해한 후 딸의 장래 등 여러 사정을 고려할 때 차라리 살해하는 것이 낫다고 엄청난 상황 혼란에 따른 오판을 하게 되었다는 취지로 각 살해 동기를 설명하고 있다.

나. 당원의 판단

그러므로 살피건대, 우선 위 I의 1.항에서 인정한 바와 같이, 혼인 이후 줄곧 D가 시동생들이나 시부모 등 시댁과 갈등을 빚어왔고 이로 인하여 피고인에게 이혼까지 요구한 점, 두 사람의 성격상 D가 피고인에 대하여 주도권을 갖는 부부생활을 하여 왔고 특히 경제적 문제에 있어서 D가 피고인의 열등적 지위 또는 능력에 관하여 불평하여 온 점, 피고인이 D와 O 사이의 불륜을 눈치채고 D의 치과 및 처가에 수시로 확인 전화를 걸었고 이를 추궁까지 한 일이 있는 점 등은 인정할 수 있다 할 것이다.

그러나 반면, U의 진술과 변호인 제출의 증 8의 1 내지 11(각 편지) 등 시댁과의 갈등 및 피고인과의 불편한 관계가 그다지 심각하지 않았다는 자료도 일부 보일 뿐 아니라, D의 주위 사람들에 대한 피고인이나 시댁과 관련된 불평은 다소 과장된 표현이거나 듣는 이들이 심각하게 받아들였을 수 있고, 또한 이와 같은 갈등 및 불편한 관계는 D가 딸 Q을 낳으면서 상당 부분 해소되었다는 것이며, 나아가 그러한 갈등이나 불화가 사건 당시까지 계속되었다고 볼 만한 자료도 없는 점, 경제적 전망이 밝지 않다는 이유로 피고인의 개업에 반대하던 D가 동의하는 것으로 의견을 바꾼 후 적극적으로 개업준비에 나서 그 개업비용의 거의 전부를 조달하여 줌으로써 피고인이나 시댁식구들이 이를 고맙게 생각하고 있었던 점, O과의 관계는 D가 1993. 8. 경 Q을 임신하게 되고 같은 해 10. 경 할인 어음의 부도 및 O의 변제기일 위약 등으로 소원해지기 시작하였고, P일자 Q이 출생한 후에는 전화 통화만 이어지다가 같은 해 11. 22. 금전거래도 종료된 점 또한 인정할 수 있으며, 한편 피고인이 Q과의 친자관계를 의심하였다는 점에 관하여는, V 등 주변 인물들의 일방적 추측에 불과한 진술 이외에는 이를 인정할 만한 명확한 자료를 찾아볼 수 없을 뿐 아니라 비록 피고인이 Q에 대하여 이상한 태도를 보였다 하더라도 그러한 점만으로 친자관계까지 의심하였다고 볼 수는 없다 할 것이다.

그렇다면, 어쨌든 피고인과 D가 1989. 11. 11. 혼인 이후 사건 발생일인 1995. 6. 12.까지 5년 7개월의 오랜 기간 동안 부부로서 생활하여 딸까지 갖게 되고, 사건 발생 무렵에는 둘째 아이를 가지기 위하여 D가 한약까지 복용하고 있었던 이상, 그 동안 아무리 D에 대한 피고인의 갈등 및 증오가 누적되어 왔다고 하더라도, 자신의 인생에 있어서 새로운 출발점이라고 할 수 있는 개업일에 즈음하여, 전망이 밝지 않은 자신의 개업에 찬동하여 주고 그 개업비용의 대부분을 어렵게 조달하여 준 아내를, 게다가 자신의 딸까지 갑자기 살해할 정도에 이르도록 감정이 폭발하는 단계에 도달하였다고는 쉽게 인정하기 어려울 뿐만 아니라, D의 불륜은 사건 발생 약 2년 전에 이미 정리되었고 피고인 역시 O 문제를 눈치채고 있었던 마당에 그 즈음 이를 알게 되었을 것이라고 봄이 상당하므로, 1995. 6. 당시 피고인이 새삼스럽게 이 점으로 인하여 살의를 갖게 되었다고는 보기 어렵다 할 것이다.

더욱이 원심은, 사건 발생 전날 밤 피고인과 D가 U의 병원 근무 문제로 추정되는 점에 관하여 언쟁이 발생하여 그 다툼이 확대되면서 누적된 피고인의 억압잠재감정이 폭발하였다고 판단함으로써 공소장 기재 사실을 그대로 인정하였으나, 추측에 불과한 V, E의 각 일부 진술 이외에는 기록상 이를 인정할 수 있는 증거가 전혀 없고, 또한 피고인과 D가 U 문제로 다투었다면 그 시점은 피고인이 U과 전화를 하고 직후라고 봄이 상당한데, 오

실체적 진실주의와 무죄추정의 원칙 그 경계에 선 사건들

히려 앞에서 인정한 바와 같이 피고인과 U 사이의 전화 통화 이후 D가 언니 E와 나눈 전화통화에서 별다른 특이점이 없었을 뿐 아니라, 피고인과 D가 그와 같이 살인에 이를 정도로 심각하게 다투었다면 그 다투는 소리를 인근 주민들이 들었어야 할 것인데, 6. 11. 밤부터 6. 12. 새벽 사이에 그런 소리를 들은 인근 주민이 있다는 증거는 기록상 어디에도 없으므로, 이러한 사정들을 참작하면 원심의 위 판단은 쉽게 수긍하기 어렵다 할 것이고, 따라서 본건 기록상 피고인에게 D에 대한 살해의 범행 동기를 부여할 만한 정황에 관하여는 그 증거가 없거나 부족하다고 할 수 있으며, 결국 Q에 대한 살해의 동기도 불명하다고 아니할 수 없는 것이다.

3. 피해자들의 사망시각

가. 검찰의 주장과 원심 법원의 입장

피해자들이 6. 11. 22:30 경부터 6. 12. 07:00 경 사이에 사망하였다면 그 시간대에 아파트에 함께 있던 피고인이 범인일 수밖에 없는바, 원심 법원 및 검찰은 피해자들의 사체와 관련된 중요 현상으로서 시반(屍斑), 시강(屍剛), 위 내용물 등 세 가지 사항에 관한 CP, DA, DM, DN 등의 감정의견들을 종합하여 피해자들이 6. 12. 07:00 이전에 사망하였다고 판단하였으므로, 그중 주요한 증거라고 볼 수 있는 CP, DA, DM의 각 견해를 아래 나. 내지 라.항의 순서로서 차례로 살펴보고, 이를 탄핵하는 변호인측 증인인 DO의 견해 및 기타 증거를 마.항에서 살펴본 후 바.항에서 각 견해를 전체적으로 검토해 보기로 한다.

나. CP

[증 거]

당심 제8차 공판조서 중 증인 CP의 진술기재

원심 법정(제7차)에서의 증인 CP, DN의 각 진술

검사 작성의 CP에 대한 진술조서의 진술기재

CP 작성의 각 감정서(수사기록 10-1책 p.173,

실체적 진실주의와 무죄추정의 원칙 그 경계에 선 사건들

182, 194, 198)의 각 기재

DN 작성의 감정서의 기재

(1) 국립과학수사연구소에 근무하는 의사인 CP은, 사망시각 추정에 관한 별도의 전문적인 논문은 없으나, 현장 사체 사진 및 비디오테이프, 부검 결과 등을 자료로 검시의로서의 경험과 과거의 문헌 및 실험자료 등 기존의 법의학 연구성과에 기초하여 피해자들의 사체를 감정하였다.

부검은 사건 다음날인 6. 13. 10:40~11:25에 실시되었는바, Q의 사체에 있어서는 검안 당시의 전신경직이 부검 당시에는 대부분 소실된 점 이외에 별다른 소견을 볼 수 없었고, D의 사체에 관하여 보면, 검안 당시 안면 하향 자세(face-down position)에서 부검 당시에는 안면 상향 자세(face-up position)로 체위가 변화된 후 아래와 같은 각 소견이 관찰되었다.

(2) 시반 (屍斑)

(가) 우선, 시반에 관한 국내 및 국외 문헌을 살펴보면 다음과 같다.

① 국내문헌

㉠ 법의학, DP 저, 1993. (p.14, 15)

시반의 발현은 빠르면 사후 30분경에 나타날 수도 있으나 일반적으로 2~3시간 지나 적자색의 점상(點狀)으로 출현한다. 시간이 지나면서 서로 융합하여 점차 뚜렷해지며 4~5시간이 되면 암적색의 반상으로 나타난다. 12~14시간이 되면 전신에 강하게 출현되며 14~15시간에서 최고조에 달하여 부패가 시작될 때까지 그 상태를 유지한다.

사후 4~5시간 이내에 체위를 변경시키면 변경된 체위의 아래쪽에 시반이 다시 형성되고 먼저 나타났던 곳에서는 소멸된다(시반의 전위, 屍斑의 轉位). 사후 약 10시간이 지나면 자가융해로 용혈이 일어나 혈관벽은 혈색소에 의하여 염색되어 침윤성 시반(浸潤性 屍斑)을 형성하며, 일단 침윤성 시반이 형성되면 체위를 변경시켜도 소멸되지 않으며 시간이 그리 오래 경과되지 않았다면 남아 있는 유동혈에 의하여 변경된 체위의 아래쪽에 또다시 새로운 시반이 형성될 수 있는데 이러한 시반의 재형성은 사후 8~10시간 정도에서 본다. 그러나 시반이 최고조에 달하는 14~15시간 이상 경과하면 시체의 체위를 변경하여도 변경된 체위의 아래쪽에 새로운 시반이 형성되지 않는다(시반의 고정, 屍斑의 固定).

ⓛ 최신 법의학, DQ 저, 1991. (p.30)

사후 10시간에 침윤성 시반(浸潤性 屍斑)을 보게 되는데 침윤성 시반이 형성되기 전에는 혈구들이 혈관 내에 머물고 있기 때문에 시체를 이동하여 체위를 변경하면 일단 형성되었던 시반이라 할지라도 새로운 하방부에 재형성이 일어나게 된다. 침윤성 시반이 형성된 시기라 할지라도 소량의 유동혈은 남기 때문에 체위를 변경하면 새로운 하방부에 약하나마 시반이 형성된다. 동시에 이미 형성된 침윤성 시반은 그대로 남게 된다.

② 외국문헌

㉠ 법의학(?), 일본 (p.19)

시반은 사후 4~5시간 이내에는 시체의 체위를 변경시키면 변경된 체위의 아래쪽으로 완전히 이동되어 새로운 시반이 형성되고(시반의 전위, 屍斑의 轉位), 사후 7~8시간 이상 경과한 경우에는 원래의 시반이 약간 연해지지만 남아 있으며, 변경된 체위의 아래쪽에 또 다시 시반이 형성된다(양측성 시반, 兩側性 屍斑). 사후 12~14 시간 이상 경과한 사체에서는 체위를 바꾸어도 변경된 체위의 아래쪽에 새로운 시반이 형성되지 않는다(시반의 고정, 屍斑의 固定).

㉡ 현대 법의학(現代 法醫學), DR, DS 편집, 개정 2판 증보, DT주식회사, 1988. (p.23)

시반은 사후 4~5시간에는 시체의 체위를 변화시키면 이미 발현되어 있던 시반이 변경된 체위의 아래쪽에 새로운 시반이 형성되고, 사후 8-10 시간쯤에 체위를 변경하면 양측성 시반의 형태로 나

실체적 진실주의와 무죄추정의 원칙 그 경계에 선 사건들

타나고, 더욱 시간이 경과되어 사후 15시간의 시기에는 체위를 바꾸어도 시반의 이동이 일어나지 않는다(침윤성 시반).

ⓒ 신판 법학부 법의학(新版 法學部 法醫學), DU 著, DV, 1991. (p.37, 38)

사체가 사후 4~5시간에 이동된 경우는 시반도 이동하고, 사후 6~8시간 경과 후 사체를 이동한 경우에는 변경된 체위의 아래쪽에 새로운 시반이 발현되며, 이미 형성된 시반도 연해지지만 남아있고, 사후 10시간 이상 경과한 후에는 체위를 변경해도 시반의 이동이 일어나지 않는 것이 보통이다.

ⓓ Taylor's Principles and Practice of Medical Jurisprudence, DW, 13ed., 1984. (p.137, 138)

시반은 일반적으로 1시간쯤 이내에 형성되기 시작하고, 사후 12시간쯤에 최고조에 달한다.

(나) 결론

DP 저 '법의학'에 따르면, 사후 4 ~ 5시간 이내에 체위를 변경시키면 아래쪽에 시반이 다시 나타나고 원래 있던 것은 소멸하며, 시반의 재형성은 사후 8 ~ 10시간으로 본다고 기술되어 있는바, 8시간 정도 지나 사체를 뒤집으면 원래의 시반도 그냥 남게 되는 양측성 시반이 나타나고, 그 중간시간대(5 ~ 10시간)에 관하여는 학자마다 의견이 다르나 이 시간대에서도 시반의 재이동이 일어난다고 볼 수 있으며, 다만 5시간 쪽에 가까울수록 원래의 시반 중 소멸하는 부분이 많아진다고 할 수 있다.

D의 경우, 검안 당시 색조가 강하지는 않으나 전경부, 가슴 위쪽, 배, 팬티 위의 좌우측 사타구니 부위 등 신체의 전면과 우측 옆구리 및 대퇴 외측에 시반 소견이 있었는데, 부검 당시에는 대부분의 시반이 소멸되기는 하였으나 우측 대퇴 외측의 시반이 잔존하고 등에 시반이 새로이 출현한 점에 비추어 양측성 시반(兩側性 屍斑)임이 인정된다.

양측성 시반은 대체로 사후 5 ~ 10시간 사이에 발생하고, 다만 영국의 DW는 사후 4 ~ 12시간 사이에 발생할 가능성이 있다고 하나, 그렇다 하더라도 본건에 있어서는 부검시의 위 내용물 및 시강 상태를 종합적으로 판단하면 검안 당시인 6. 13. 11:30을 기준으로 6. 12. 23:30 ~ 6. 13. 07:30 사이에 사망한 것으로 추정된다.

한편, 시체가 물 속에 있었던 사정은 시반의 형성에 있어서 영향이 없다고 보고, 부력 때문에 시반의 형성이 늦어진다는 DM의 견해에는 동의하지 않는다.

(3) 시강 (屍剛) 및 재경직 (再硬直)

(가) 시강에 관한 국내 및 국외 문헌을 살펴보면 다음과 같다.

① 국내문헌

㉠ 법의학, DP 저, 1993. (p.14, 15)

시체 경직은 기온, 개인차, 죽음직전의 상태 및 사인 등에 따라 발현시간 및 정도의 차이가 있으나, 일반적으로 경직은 거의 대부분 악관절 및 경부관절에서 시작되어 몸통, 상지 및 하지로 진행되는 하행형이고, 봄, 가을철에는 빠르면 1시간, 일반적으로 2 ~ 4시간이 지나면 악관절에 이어서 경추관절에 제일 먼저 출현된다. 6 ~ 7시간이 지나면 사지의 큰 관절을 비롯하여 전신에 출현되며, 7 8시간이 지나면 손가락, 발가락에도 출현된다.

시간이 흐를수록 그 정도가 점점 강하여져 20시간 정도에서 최고조에 달하여 30시간까지 그 강도가 지속된다. 최고조에 달하였던 경직은 일정한 시간이 지나면 근육의 자가융해로 인해 발생된 순서에 따라 서서히 소실되는데, 봄, 가을철에는 48 ~ 60시간, 여름철에는 24 ~ 36시간, 겨울철에는 3 ~ 7일 후에 소실된다. 조건이 적절하여 부패가 빨리 시작되면 9 ~ 12시간만에 소실될 수도 있고, 온도가 매우 낮을 때는 수 주일이 지나도 풀어지지 않을 수 있다.

사후 5 ~ 7시간 이내에 경직을 인위적으로 소실시

키면 경직이 다시 일어난다. 그러나, 그 정도는 처음과 같이 강하지 않고, 7~8시간 이상 경과된 후라면 재경직이 일어나지 않는다.

ⓒ 최신 법의학, DQ 저, 1991. (p.32, 38)

하행형 시강의 경우는 빠르면 사후 1시간, 평균적으로는 사후 2~3시간에 악관절에 출현되기 시작하여 6~7시간 후에는 전신에 출현되며 10~12시간 후에는 최고조에 달한다.

사후 5~7시간 이내에 시강을 인공적으로 소실시켰을 때 그 부위에 재경직이 일어나는 것을 볼 수 있으나, 7 8시간 이상 경과된 시강은 인공적으로 소실시켰을 때 재경직이 일어나지 않는다.

② 외국문헌

ⓐ 법의학(?), 일본 (p.20)

사후경직은 일반적으로 사후 2~3시간에 발현하는데, 악관절은 빠른 경우에는 1시간에 경직되고,

상지(上肢)의 각 관절은 5~6시간, 하지(下肢)의 각 관절은 7~8시간에 발현하며, 30시간쯤까지 전신의 근육경직이 지속하다가 이후 발현 순서대로 소실된다. 사후 5~6시간 이내에 시강을 무리하게 완해시키면 이전처럼 강하지는 않으나 또다시 근육의 경직이 일어난다(재경직, 再硬直). 그러나 7 8시간 이상 경과한 경우에는 재경직이 곤란하다

ⓛ 현대 법의학(現代 法醫學), DR, DS 편집, 개정 2판 증보, DT주식회사 1988. (p.23)

사후 7~8시간이 되면 손가락 및 발가락 관절에도 나타나고, 점차 강해져서 사후 20시간이 되면 최고의 경직상태가 된다.

ⓒ 新版 法學部法醫學, DU 著, DV, 1991. (p.38, 39)

사체경직은 사망 후 2~4시간 정도 경과 후에 생기며, 많은 경우 생기는 순서는 악관절, 안면, 몸통, 사지의 순으로 진행하고, 12시간에 전신의 관절에 나타난다.

실체적 진실주의와 무죄추정의 원칙 그 경계에 선 사건들

② 法醫診斷學, DX 著, DY, 1977. (p.46, 47)

사후 2~4시간에 턱(악관절)에서 시작하고, 6~7
시간에는 전신에 미치며, 10~12시간에 최고도에
달한다. 재경직이 가능한 것은 7~8시간까지 된
다.

⑩ Spitz and Fisher's MEDICOLEGAL
INVESTIGATION OF DEATH, DZ, 1993. (p.26)

온화한 기후의 평균적인 조건하에서 시강은 사후
30분 내지 1시간 이내에 나타나기 시작하고, 점차
진행하여 12시간 이내에 최고조에 이르며, 이후
12시간쯤 유지되다가 다음 12시간 이내에 점차
소실된다.

⑪ Taylor's Principles and Practice of
Medical Jurisprudence, DW, 13ed., 1984.
(p.137, 138)

시강은 온화한 기후에서는 보통 사후 2~4 시간

이내에 나타나고 12시간쯤에는 최고도에 이르며, 이후 12시간이 지난 다음 소실되기 시작한다.

㊀ Forensic Pathology, EA, 1991. (p.550)

시강은 평균조건하에서는 사후 6 ~ 12시간 이내에 최고도에 이를 것으로 기대할 수 있을지 모른다.

◎ Handbook of Forensic Pathology, EB, EC (p.23)

시강은 일반적으로 사후 6시간쯤에 안면 및 경부에 나타나고, 다음 2 ~ 3시간에 어깨 및 상지의 근육에 나타나며, 대략 12시간 경에는 구간(軀幹)과 하지의 근육에 출현한다. 이러한 시장을 인위적으로 완해시키지 않으면 전신의 근육에서 12시간 정도 더 지속되며, 약 24시간 경과 후에는 소실되기 시작하여 12시간 정도에 걸쳐 발현된 순서대로 소실된다.

㊀ Forensic Medicine, ED and EA, 9ed., 1985. (p.11)

시강은 사후 5~7시간 경 얼굴에서 가장 쉽게 인지할 수 있고, 다음 2~3시간 동안에 어깨 및 팔에서, 마지막으로 다리의 큰 근육에서 쉽게 인지할 수 있다. 대략 12시간 경에 전신적으로 형성되고, 12시간 정도 더 지속되다가 12시간에 걸쳐 소실된다. 이와 같은 시강은 사후 36시간까지의 시기에 사망시각을 추정하는데 도움을 줄 수 있다.

ⓒ MEDICAL LEGAL POSTMORTEMS in India, EE (p.29, 30)

시강은 사후 1~2시간에 시작되어 머리에서 발까지 출현되는데 12시간 정도 걸리며 이후 12시간 지속되다가, 다음 12시간에 걸쳐서 소실된다. 이와 같이 시강의 존재 여부 및 정도는 사후 경과시간을 대략 추정함에 도움이 되는데, 시강이 출현되어 있지 않으면 사후 2시간 이내로 추정할 수 있겠고, 전신에 출현되어 있으면 대략 사후 12~24시간 이내로 추정해 볼 수 있을 것이다.

ⓔ Forensic Medicine, EF & EG, 2nd ed. (p.25-27)

EH의 보고에 사체 113구에 대한 조사에서 경직이 전신에 출현하는데 2시간에서 13시간까지의 범위를 나타내었고, 133차례 중 79차례는 사후 3시간에서 6시간 사이에 전신에 출현되었다고 하며, EI는 성인의 경우 평균적인 조건하에서는 경직이 사후 3 ~ 4시간 내에 시작하고 10 ~ 12시간에 전신근육에 미치며 사후 36시간쯤에 사라진다고 주장한다.

ⓔ Forensic Medicine, EJ, EK, 1982. (p.64)

시강이 사후 1 ~ 3시간쯤 안검 및 턱관절에 나타나고, 전신의 관절에 나타나기 위해서는 4 ~ 9시간이 걸리며, 사후 16 ~ 24시간쯤에 사라지기 시작한다. 24 ~ 36시간 경에는 완전히 사라질 것이다. 질식사에서는 경직의 시작이 지연된다.

(나) 결론

실체적 진실주의와 무죄추정의 원칙 그 경계에 선 사건들

본건에 있어서, 검안 당시의 비디오테이프에 의하면 D의 전신 근육에 시강이 출현된 점이 인정되고, 또한 전신에 출현되어 있던 시강이 검안 후 병원 영안실로 옮겨져 시체가 냉장 보존되었음에도 부검시(검안 이후 약 23시간 경과) 거의 소실되어 있는 점으로 미루어 검안 당시 시강을 인위적으로 소실시킨 이후에 재경직이 일어났을 가능성은 희박할 것으로 추정되는데, 문헌에 따라 약간의 차이는 있으나 대부분의 경우 시강에 영향을 미치는 다양한 인자를 제외한 온화한 기후의 평균적인 조건하에서 시강은 사후 12시간 정도에 전신에 나타난다는 기록을 볼 수 있고, 좀더 이르게 보고된 경우에도 6시간 이후에 전신에 출현된다고 하는바, 이 건이 동일한 조건하에 발생하였다면 검안 당시의 시각으로부터 6시간 내지 12시간 전에 사망하였다고 추정해 볼 수 있으므로, 6. 11. 23:30 ~ 6. 12. 05:30 어간에 사망하였을 것으로 추정된다.

다만, 소수이나 문헌에 따라서는 시강이 전신에 출현하는데 2시간에서 13시간 까지의 범위를 나타내었다 하고 혹은 4~9 시간이 걸린다는 기록을 볼 수 있는바, 이 기준에 의하면 6. 11. 22:30 ~ 6. 12. 09:30 어간 혹은 6. 12. 02:30~07:30 어간에 사망한 것으로 추정해 볼 수도 있다.

그러나 재경직의 발생 여부를 기준으로 볼 때, 사후 7~8시간 이상 경과된 시강은 인공적으로 소실시켰을 때 재경직이 일어나지 않으므로 검안 당시의 시각으로부터 7~8시간 전인 6. 12. 03:30~04:30 어간에 사망한 것으로 추정할 수 있다.

한편, 시강의 형성에는 시반보다 여러 가지 다양한 인자들이 크게 영향을 미치고, 이 사건의 경우처럼 시체가 발견된 곳이 온수(온도가 확실치 않음)가 채워져 있는 욕조 내인 경우 평균적인 조건하의 기준으로 사망시간을 추정하는 것은 합리적이 못될 것으로 추정되므로, 시강 현상에 의한 사망시간의 추정은 다른 시체현상에 의한 판단과 종합하여 판단하는 것이 바람직할 것으로 판단된다.

(4) 위 내용물

(가) 위 내용물에 의한 사망시각 추정

실체적 진실주의와 무죄추정의 원칙 그 경계에 선 사건들

위장관 내용물의 종류와 소화 및 이동 정도로 사망시간을 추정할 수 있는바, 음식물이 위장관내에서 소화 및 이동되는 정도는 음식물의 종류와 상태, 육체적 및 정신적 상태에 따라 달라지지만, 위 내에 음식물이 충만되어 있고 전혀 소화되지 않은 상태라면 식후 약 2 ~ 3시간, 위는 비어 있고 십이지장에서 식물의 고형잔사(固型殘渣)가 남아 있는 상태라면 식후 4 ~ 5시간, 위 및 십이지장이 모두 비어있는 상태라면 식후 6시간 이상으로 추정할 수 있다.

가벼운 식사는 일반적으로 1시간 반 내지 2시간 동안 위 내에 있고, 보통의 식사는 3 ~ 4시간까지 위 내에 머무르며, 많은 양의 식사는 4 ~ 6시간 또는 그 이상까지 위 내에 머무르게 된다고 알려져 있다.

(나) 결론

부검 당시 수거한 D의 위 내용물에서 취식물의 종류를 육안 및 확대경으로 검사한 결과, 쌀밥알,

미역, 종류미상의 생선육편, 무우, 배추, 양파, 파, 고추가루가 식별되며 콩나물은 식별되지 않는바, ① 이는 음식물의 섭취시기 및 종류를 추적 조사한 수사자료상 피고인과 같이 먹었다는 11일 저녁식사 때(21:00~22:00)의 음식물 종류(쌀밥, 미역 쇠고기국, 오징어채 무침, 김치, 깻잎, 조기 등)와 부합되고, ② 발견 당일 아침에는 D가 식사를 하지 않는 것으로 조사되어 있으며, ③ 위에는 비교적 소화되지 않은 죽상(粥狀, semi solid)의 취식물이 약 350㎎ 정도 들어 있는데, 육체적 및 정신적 상태에 따라 위장관내에서 소화 및 이동되는 정도가 달라지기는 하나, 마지막 식사가 6. 11. 21:00~22:00 사이였다면, 6. 11. 23:30~24:00 어간, 늦어도 6. 12. 01:00~02:00 이내 혹은 02:00~04:00 이내 사망하였다고 추정되므로, 결국 '6. 11. 23:30 ~ 6. 12. 04:00' 사이에 사망한 것으로 볼 수 있다.

(5) 사망시각 추정에 관한 결론

따라서, 이를 모두 종합하면 D의 사망시각은 6. 11. 23:30 ~ 6. 12. 06:30 사이로 추정되는데,

실체적 진실주의와 무죄추정의 원칙 그 경계에 선 사건들

07:00 이후 사망하였다고 보기는 어렵고 07:00~ 08:00 사이도 별로 가능성이 없으며, 가사 위 내용물을 고려함이 없이 시반, 시강의 두 요소만으로 판단한다 하더라도 다수견해에 의하면 07:00 이전에 사망하였다는 결론이 가능하다.

Q의 경우도 D의 사망시각과 비슷한 것으로 추정되고, 달리 해석할 만한 사체 소견의 근거 또한 부족하다.

다. DA

[증 거]

당심 제9차, 제19차 공판조서 중 증인 DA의 각 진술기재

원심 법정에서의 DA의 진술

검사 작성의 DA에 대한 진술조서의 진술기재

DA 작성의 감정의뢰회신(수사기록 10-1책 p.205)

의 기재

(1) EL대학교 의과대학 교수인 DA은, 현장 사체 사진, 비디오테이프, 국립과학수사연구소 사체 사진, CP 작성의 감정소견서 등을 자료로, 그 동안의 사체감정 경험과 연구성과, 그리고 기존의 법의학 연구결과 등에 기초하여 감정하였다.

(2) 시반

(가) 시반에 의한 사망시각 추정

시체에서 관찰되는 시반은 혈액의 응고에 의한 것이 아니라 적혈구가 용혈된 다음 헤모글로빈이 혈관 또는 그 주위의 조직에 침착되어 고정되는 것으로서, 1) 이동성 시반(移動性 屍斑) 또는 시반의 전이(屍斑의 轉移, shifting of lividity), 2) 양측성 시반(both-sided shifting of lividity), 3) 침윤성 시반(infiltrative lividity) 등 세 종류가 있는데, 이동성 시반이란 시체의 체위를 변경할 경우 처음에 생긴 시반이 변경된 체위의 아래쪽으로 완전히 이동되어 새로운 시반이 시체의 하방부에 형성되는 것을 뜻하고, 양측성 시반은 처음에 생긴 시반은 약하게 남아 있으면서 변경된 체위의 하방부에 시반이 비교적 강하게 재형성되어 시체의 전, 후면에서 시반이 모두 관찰되는 것이며, 침윤성 시반은 시체의 체위를 변경하여도 이미 형성된 시반이 이동되지 않기 때문에 새로운 체위의 하방부에서 시반의 형성을 볼 수 없는 것을 말한다.

따라서 사건의 현장에서 촬영한 사진 및 비디오테이프, 부검감정소견서 등을 검토한 결과 D의 시신에서 관찰되는 시반은 우측 유두부위 및 대퇴부 전면부에 시반이 남아있고 등 부위에 새로 시반이 형성되었다는 점에서 양측성 시반이라는 취지의 CP 의견은 타당하다.

미국, 영국, 일본 및 국내에서 출판된 여러 법의학서적에 기록된 시반과 추정 사망시간의 관계를 보면, 이동성 시반이 형성되는 시기는 사후 4~5시간 이내, 침윤성 시반이 형성되는 시기는 사후 10~15시간 이상으로 관찰된다고 하는데, 이러한 시반의 형성과 사후시간 관계에 대해서는 법의학

서적을 집필한 저자간에 의견의 차이가 그리 크지 않으나, 양측성 시반이 형성되는 사후시각에 대해서는 일본에서 출판된 서적은 짧게는 사후 6~8시간, 길게는 사후 8~10시간에 형성된다고 기술하고 있는 반면, 영국에서 출판된 서적에는 사후 4~12시간에도 일어날 가능성이 있다고 기술하고 있고, 미국에서 출판된 서적에는 시체의 부패가 일어나지 않을 경우 사후 8~12시간에 일어난다고 서술하고 있으므로, 대체로 사후 4~12시간 이내에 발생한다고 본다.

(나) 결론

따라서, 변사자 시신의 체위를 변경한 6. 12. 11:30 경을 기점으로 법의학 서적에 기록된 내용을 종합적으로 고찰해 볼 때, 변사자 D의 사망은 07:00 이전의 시간대에 발생한 것으로 추정한 CP의 의견에 타당성이 있다.

한편, 영국의 DW(Taylor's Principles and Practice of Medical Jurisprudence)는 사후 4~12시간 사이에 양측성 시반이 발생할 가능성

이 있다고 하는바, 이와 같이 사후 4～12시간대에 양측성 시반이 일어날 가능성을 고려할 경우 짧게는(사후 4시간부터 양측성 시반이 형성되었다고 가정한다면) 07:00 이후인 07:30 경까지도 그 사망 가능성을 배제할 수는 없으나, D는 6. 11. 21:00～22:00 경 저녁식사를 한 후 아침을 먹지 않은 것으로 수사결과상 추정되고, D의 위에서 확인된 위 내용물은 죽상으로 약 350㎎ 정도임이 부검에서 확인되었으며, 그 내용물이 저녁식사와 일치한다는 점에서, 그리고 본인(DA)의 견해로는 급사나 질식사의 경우 시반 형성이 늦다고 보므로, 결국 07:00 이후인 07:30 경에 사망할 가능성은 희박하다고 판단된다.

(3) 시강

(가) 시강에 의한 사망시각 추정

법의학 서적에 기술된 시체경직의 형성과 사망시간과의 관계는 저자마다 다소의 시간적 차이는 있으나, 온화한 기후의 평균적인 조건하에서는 사후 2～4시간 내에 출현하기 시작하여 대략 6～7시간에는 전신근육에 퍼지고, 10 ~ 12시간에는 최고도에 달하였다가 이후 12시간이 지난 다음 소실되기 시작한다는 것이 일반적인 서술내용이다.

일본에서 출판된 모든 법의학 서적에는 사후 대략 5 ~ 6시간 내에 시체경직을 인위적으로 소실시키면 이전처럼 강하지는 않으나 또 다시 근육의 재경직이 형성되지만, 사후 7 8시간이 경과한 시체에서는 인위적으로 시체경직을 소실시켜도 재경직은 일어나지 않는다고 기술하고 있고, 또한 EM(1989sus) 등이 저술한 "Forensic Pathology" 26쪽에는 완전히 형성된 시체경직을 인위적으로 소실시킬 경우 재경직은 일어나지 않으나, 부분적으로 형성된 시체경직을 인위적으로 소실시킬 경우 재경직이 형성될 수 있다라고 기술하면서 완전한 시체경직이 일어나는 시각을 사후 6 ~ 12시간이라 하였다.

(나) 결론

고온의 경우 시강, 시강의 소실, 재경직 모두 **빨리** 나타나고, D와 Q의 시신을 이동하기 전에 확인한 욕조의 물은 찬 기운이 가신 상태라는 수사 결과로 보아, 온도의 영향으로 인해 시체경직의 출현이 조기에 일어날 가능성을 배제할 수 없기 때문에, 본 건의 경우 시체의 경직상태와 인위적으로 소실시킨 후 재경직이 일어나지 않았다는 시체현상만으로 사망시간을 추정하는 데는 다소 무리가 있으나, EN가 저술한 Gradwohl's Legal Medicine 84쪽에 기술된 내용을 보면, 옷을 입은 상태로 사망한 건 강한 성인의 경우 사후 첫 6시간 내에는 온도에 의해 시체경직의 발현이 크게 영향을 받지 않는다고 기술하고 있음을 감안할 때, 본건의 경우도 법의학서적에서 기술하고 있는 시체경직과 사망추정시간과의 관계에 대한 일반적 원칙을 적용할 수도 있을 것으로 생각되어 욕조 내 물의 수온을 고려하지 않고 감정을 하였는바, D의 시신에서 시체경직을 인위적으로 소실시킨 시점이 6. 12. 11:30 경이고, 6. 13. 10:40 경 부검에서 확인된 바에 의하면 D의 시신에는 재경직이 일어나지 않은 상태이기 때문에, 최소 사후 7~8시간이 경과한 것으로 판단하여 D의 추정 사망시각을 6. 12. 07:00 이전인 03:30 ~ 04:00로 추정한 CP의 의견에 타당성이 있다고 본다.

(4) 위 내용물

D의 위 내용물에는 밥알, 미역 등이 잔존하고 있으므로 이는 죽이 아닌 보통식사의 잔존물이라고 할 수 있는바, 수사결과 D는 6. 12. 아침을 먹지 않은 것으로 추정되므로 저녁을 먹은 6. 11. 21:00~22:00를 기점으로 위 내용물을 판단하건대, EO 등 (1981년)은 건강한 성인에게 고기, 생선, 야채, 샐러드, 과일로 구성된 음식과 함께 음료수를 먹인 후 섭취한 양의 절반이 위에서 장으로 음식물이 이동하는 시간을 조사한 결과 짧게는 60분에서부터 길게는 6시간 30분이 소요된다고 하였고, 또한 죽과 같은 연한 음식물을 성인에게 먹인 후 위에서 장으로 이동하는 시간을 측정한 결과, 300㎎을 먹인 경우는 40분이 소요되고 900㎎을 먹인 경우에는 81분이 소요되었음을 생체실험을 통해 밝히고 있으며, 한편 Adelson(1974)은 가벼운 식사는 1.5~2시간, 보통의 식사는 3~4시간, 그리고 많은 양의 식사는 4~6시간 후에 위에서 장으로 이동한다고 기술하고 있는 점 등을 감안하면, 식사량을 정확히 알 수 없다 하더라도 D

실체적 진실주의와 무죄추정의 원칙 그 경계에 선 사건들

가 저녁을 먹은 6. 11. 21:00~22:00를 기점으로 사망시간을 추정하여 볼 때 짧게는 6. 11. 23:30~24:00 경, 그리고 길게는 6. 12. 02:00~04:00 경이라고 판단한 CP의 의견에 타당성이 있고, 또한 G.E.T. (gastric emptying time) 검사에 의한 연구결과에 의하면 식사량의 50%가 위에서 장으로 내려가는 제일 짧은 시간이 48~50분이라는 것이므로, D의 경우 6. 11. 밤 9~10시에 저녁식사를 하고 6. 12. 아침 아침식사를 하지 않았다면 저녁식사 후 얼마 안 있어(최소한 50분) 사망한 것으로 볼 수 있다.

만약 D가 아침식사를 7시 이후에 하였다면 빨라야 07:50 이후 사망이 되는데, 이는 시반 현상과 맞지 않는다.

(5) 사망시각 추정에 관한 결론

따라서, 시반, 시강, 위 내용물의 소화상태 등을 모두 종합하면, 짧게는 6. 11. 23:30~24:00 경, 길게는 6. 12. 02:00~04:00 경 사망한 것으로 추정할 수 있고, 피해자들이 아침 7시 이후 사망하였을 가능성은 없다.

구체적으로, 시반에 의하면 최대 6. 12. 07:30 경, 시강에 의하면 6. 12. 03:30 ~ 04:30 경, 위 내용물에 의하면 6. 11. 22:50 경(저녁식사를 밤 10시에 하고 아침식사를 하지 않은 경우)까지 사 망시각을 추정할 수 있는데, 중요한 것은 사망이 "07:00 이전이냐 이후냐"이고, 몇 시에 사망하였 는지는 현재 법의학상 알 수 없다는 것이다.

피고인측은 추정 사망시각에 관하여, 양측성 시반 이 사후 4시간에 형성될 수도 있다는 측면에서 07:30까지 추정이 가능하고, 수온을 고려한 시강 측면에서 07:00 ~ 08:00 사이로도 추정할 수 있 으며, 아침식사를 07:00 경 하였다고 한다면 위 내용물에 의하더라도 07:50까지 추정이 가능하여, 결국 07:00 이후 사망하였을 가능성도 있다고 주 장하나, 증인의 견해로는 두 사람을 살해하고 방 화까지 하여야 한다는 점을 감안할 때 이는 불가 능하다고 본다.

라. DM

[증 거]

당심 법정(제21차)에서의 증인 DM의 진술

당심 제10회 공판조서 중 증인 DM의 진술기재

원심 법정에서의 증인 DM의 진술

검사 작성의 DM에 대한 진술조서의 진술기재

DM 작성의 질의회보서(수사기록 10-1책 p.202)의 기재

(1) EP대학교 의과대학 교수인 DM은, 현장 사체 사진, 비디오테이프, 국립과학수사연구소 사체 사진, CP 작성의 감정소견서, 목욕탕 내 온도측정표 등을 기초로 감정하였으나, 객관적인 근거보다는 임상 등 직접 얻는 경험 및 책을 통한 간접경험에 기초하여 판단하였다.

(2) 시반

검안 23시간 후 부검을 할 당시 D의 등 부위 외에 안면부 및 팬티줄 밑의 우측 대퇴부 시반이 남아 있었던 점에 비추어 양측성 시반으로 볼 수 있는바, 양측성 시반은 사후 8~10시간 이후 형성되는 것으로 알려져 있고, 영국 법의학 서적상 기술된 4~12시간도 틀린 것은 아니라고 보나, 개인적 견해로서, 본건의 경우 사체가 물에 잠겨 있었고 물에 잠긴 경우 부력을 받아 공기 중에서보다 시반 형성이 늦어지게 된다고 보므로, 사후 경과시간은 비디오촬영 당시 기준으로 최소한 8~10시간은 넘었을 것으로 보아 6. 12. 01:35~03:35 사이에 사망한 것으로 본다.

한편, DP의 '법의학' 및 EQ의 '법의학'에 급사 및 질식사의 경우 시반 형성이 빠르고 뚜렷하다고 기술되어 있으나 본인은 이에 동의하지 않고, 다만 주위의 온도가 높을 때 시반이 빨리 나타날 수는 있으나 시강만큼 온도의 영향을 크게 받지는 않는다고 본다.

그밖에 "The Estimation of the Time Since

실체적 진실주의와 무죄추정의 원칙 그 경계에 선 사건들

Death in the Early Postmortem Period"라는 책 중 EA가 저술한 시반 관련 부분에는 양측성 시반의 범위를 최저 2시간으로 잡은 것으로 기술되어 있으나 이는 직접 관찰한 것은 아닌 것 같고, 또한 시반은 황인종인 한국사람이 피부가 하얀 백인종보다 늦게 나타나며, 일반적으로 양측성 시반이 2시간 이내에는 나타나지 않는다고 본다.

(3) 시강

ER 외 2인이 저술한 'The Essentials of Forensic Medicine"에서 언급된 것과 같이 사후 2시간 내에 시강의 전신 발현도 가능하고, 또한 시강은 주위 온도가 높으면 빠르게 나타난다고 할 수 있으나, D 사체에 있어서 표피가 벗겨지거나 짓무르는 현상이 없었던 피부상태로 보아 욕조 물이 화상을 입을 정도인 45~46℃로 뜨겁지는 않았을 것이므로 현실적으로 이를 많이 고려하지 않았고, 또한 검안 당시 D의 사체를 꺼낼 때 머리와 다리를 들어도 허리가 안 휘었고 손가락 꺾는 소리가 났으므로 전신에 완전 시강이 나타났다고 볼 수 있는 점, 시강의 인위적 소실 이후 재경직이 발생하지 않은 점 등을 종합하면 검안 당시 기준으로 사후 최소 7 8시간은 지났을 것으로 보인다.

(4) 위 내용물

사망 후에도 기존의 위액으로 소화가 어느 정도 진행되고 부패도 진행된다고는 하나, D의 위 내에 약 350㎎의 죽상 취식물이 있었고 그 중 밥알이 눈에 띌 정도이며 육편이 인지될 정도라면 식후 1 ～ 3시간(DM은 '1 ～ 2시간' 또는 '2 ～ 3시간'이라고 진술하고 있다) 후 사망하였다고 보는바, 마지막 식사가 21:00 ～ 22:00 사이라면 최소한 07:00 이전에 사망하였을 가능성이 매우 높다.

(5) 사망시각 추정에 관한 결론

따라서, D가 아침 7시 이후에 사망하였을 가능성은 없다고 보고, 이와 같은 사망시각 추정에 관한 감정결과는 양측성 시반을 주로 하여 시강의 정도를 보조적으로 판단한 것으로서 위 내용물은 참고로만 하였는바, 화재발생시각이 바뀌어도 위 감정

결과에 큰 영향은 없다고 보고, 다만 D가 아침식사를 하였다면 결론이 배치되기는 하나 아침식사 후 사망하였다면 시반, 시강 현상과 맞지 않게 된다.

또한, 사체가 물에 들어가 있는 시간이 문제이기는 하지만, 수온이 43℃에서 시작되었다는 수사결과에 기초하여 보면 사체가 상당히 불어 있어야 하는데 비디오테이프상으로는 덜 불어 있었으므로 결론은 동일하다고 본다.

마. 변호인 제출의 탄핵증거

(1) DO

[증 거]

당심 제17차 공판조서 중 증인 DO의 진술기재

특히 시강 분야를 전문으로 하는 스위스 법의학자 DO는 5,000구 이상의 부검 및 5,000구 이상의 검안 임상경험이 있고, "The Estimation of the

Time Since Death in the Early Postmortem Period" 라는 책을 EA 등 5인과 함께 공동 집필 하였는데, 동인이 맡아 저술한 부분은 '시강' 편이 다.

(가) 본건에 있어서 DO는 현장 비디오테이프, 부검 및 실황조사서 사진, 각 감정소견서, 한국 법의학자들에 대한 각 증인신문조서를 읽어본 후 다음과 같은 의견을 밝혔다.

(나) 시반

① 사람마다 차이는 있으나 평균적으로, 사후 5시간(보통 2~6시간으로 봄) 동안은 이동성 시반으로서 시반이 움직이고, 5시간에서 10~12시간 사이에는 양측성 시반으로서 시반의 일부는 이동하고 일부는 고정되어 있는데, 시반의 이동 여부에 시체의 부패 및 주위 온도가 많은 영향을 준다.

즉, 높은 온도의 경우 시체의 부패가 빨라지고 부패는 시반의 이동을 방해하므로 시반의 고정이 빨리 일어나는바, 시반의 완전 고정은 평균적으로 사후 11 ~ 12시간이다.

② 그러나, 위 시간대는 주위 온도 20℃를 기준으로 한 평균적 수치이므로, D의 사체가 더운 물속에 있었던 본건의 경우에 위 평균치를 적용할 수는 없는 것이고, 한편 40℃ 정도의 뜨거운 수온이라 하더라도 사람이 데지는 않을 정도이므로 D의 사체가 별로 붙지 않고 피부손상이 없어 온도가 큰 영향을 못 주었을 것이라는 견해에는 수긍할 수 없으며, 또한 현장확인을 하지 않은 법의학자로서는 함부로 피력할 수 없는 견해라고 본다.

③ 감정인 CP 작성의 소견서 중「시반이 대퇴부 고무줄 부위만 남고 전면부가 거의 없어졌다」는 취지의 기재에 비추어 이는 시반이 고정되기 시작하는 초기단계라고 할 수 있다.

"The Estimation of the Time Since Death in the Early Postmortem Period"의 공저자 중 한 사람인 EA의 저술에 의하면, 사후 2시간까지는 시반이 움직이고(이동성 시반) 그 이후 24시간까지는 양측성 시반이 나타날 수 있으나, 통상의 온도하에서 양측성 시반이 나타날 수 있는 범위를 사후 4~24시간으로 본다는 것이고, 본인(DO)의 견해로는 예외적인 경우로서 온도가 높거나 여름인 경우 사후 2~4시간 사이에 체위를 변경하여 양측성 시반이 나타날 수 있다 할 것인바, D의 사체는 43℃(35 또는 37℃라도 마찬가지임)의 물에 노출되었다는 것이므로 양측성 시반에 기하여 사후 4시간 이후라고 단정할 수 없다.

한편, 본인(DO)은 4시간만에 양측성 시반이 나타나는 것을 목격한 일이 있다.

④ 시반과 관련된 DO의 견해에 대한 반박

㉠ DA (당심 제19차 공판조서의 진술기재)

양측성 시반이 사후 2시간을 기점으로 나타날 수 있다는 DO의 견해는 틀리고, 문헌상으로도 2시간이라고 되어 있는 것은 없으며, 다만 4시간은 찾아볼 수 있다.

높은 온도의 경우 시체의 부패가 빨라지고 부패는

실체적 진실주의와 무죄추정의 원칙 그 경계에 선 사건들

시반의 고정을 촉진한다는 견해에는 동의할 수 없는바, 시간이 경과하면서 혈관 내 적혈구가 파괴되어 헤모글로빈 색소가 혈관을 빠져나와 조직 내에 염색이 되고, 이것은 부패에 의하여 파괴되어 소실되기 때문에 시반은 그때부터 온도의 영향을 받을 수는 있어도 처음부터 온도에 의하여 영향받는 것은 아니므로, 결국 온도는 시반의 발현 및 형성과정과는 관계가 없고 그 소실과정에서만 영향을 줄 뿐이다.

ⓒ DM (당심 법정에서의 진술)

온도가 높으면 시반의 고정이 빨라진다는 견해에는 동의하지 않을 뿐만 아니라 온도의 변화가 시반에 영향을 준다고는 생각하지 않는바, 시반의 고정은 부패와 맞물리므로 고온에서 빨리 일어난다는 것은 맞지만 시반의 형성과 부패는 서로 다른 개념이고, 또한 본건에 있어서는 부패가 있다는 증거도 없다.

(다) 시강

① 시강의 완성은 통상의 온도하에서는 사후 8 ~ 12시간 정도 소요되는데, 40℃ 전후의 물에서는 1, 2시간만에, 37 ~ 40℃ 사이의 물에서는 2, 3시간만에 나타난다.

② 30마리의 쥐를 이용한 시강 진행에 있어서의 온도변화 효과에 대한 연구 결과, 37℃, 24℃, 6℃ 등 세 그룹의 쥐들 중 온도가 높은 그룹의 쥐일수록 시강의 진행 및 소실이 빨랐고 이는 인간에 대하여도 같은 결과가 나타날 것으로 본다.

③ 한국 법의학자들은 검안 당시 완전 시강을 인위적으로 소실시킨 후 재경직이 안 왔으므로 그 7 8시간 이전에 사망하였다는 견해를 갖고 있으나, 이는 보통의 온도인 20℃를 전제로 하는 것임에도 D의 사체가 더운 욕조에 담겼던 사실이 무시되었고, 또한 재경직은 시강이 진행되고 있는 올라가는 상황에서는 올 수 있지만 최고조에 달하였다가 내려가는 상황에서는 오지 않는 것이므로, 위 견해에는 동의할 수 없다.

본인(DO)은 사체경직의 인위적 소실 후 재경직이

오지 않은 사례를 30∼40번이나 목격한 바 있으므로 재경직 여부로 사망시각을 추정하지는 않고, 또한 1시간만에 완전경직이 온 사례를 본 일도 있다.

(라) 위 내용물

위 내용물에 의한 사망시각 추정은, ㉠ 무엇보다도 D의 마지막 식사가 무엇이냐, 즉 아침식사인가 또는 저녁식사인가 하는 문제가 확정되지 않았고 ㉡ G.E.T. (gastric emptying time)는 스트레스가 없는 일반적 경우를 기준으로 한 수치로서, 스트레스가 있을 경우 전혀 소화가 되지 않는 경우도 있으므로 위 내용물이 저녁식사가 아니라고는 할 수 없으며 ㉢ D의 위 내용물이 저녁식사의 음식이라고 가정한다면, D가 엄청난 스트레스하에 있지 않았던 점에 비추어 동인이 7시 이전에 사망하였다고 할 경우 시반, 시강에 대한 감정결과와 모순된다는 점에서 그러한 가정은 부정확하다고 할 수 있다.

스위스에서는 위 내용물에 의한 사망시각 추정은

하지 않는다.

(마) 사망시각 추정에 관한 결론

사망시각 추정에 있어서 가장 정확한 방법은 사체 온도 측정 방법, 즉 항문에서 8cm 정도의 직장부분 온도를 측정하는 것인데(20℃의 상온에서 옷 입은 상태의 보통 체격의 경우 사후 2시간부터 매 시간 1℃씩 하강), 본건에 있어서는 위 방법이 결여되었으므로 정확한 사망시각의 추정은 불가능하나 특정 시간대 사망 가능성의 유무 판단은 가능한바, 위와 같은 각 사체현상을 종합하여 검토하면 결론적으로 D가 아침 7시 이후에 사망하였을 가능성이 없다는 견해에는 찬동할 수 없고, 또한 그 이후 사망하지 않았음을 보여주는 증명자료도 없으며, 이러한 결론은 위 내용물과 상관없이(아침식사를 하였느냐 여부에 관계없이) 시반, 시강 등의 자료만으로도 가능하다고 본다.

(2) 변호인이 제출한 그 밖의 탄핵증거

(가) 시반 관련

① 증 6의 3 (공판기록 6-4책 p.1673)

Simpson's Forensic Medicine, 10th Ed., EA

사후 경과시간의 지표로서 시반은 시강보다 믿을 수 없다. 어떤 사체의 경우, 특히 유아, 노인의 경우에는 시반이 나타나지 않는 수도 있다.

② 증 6의 4 (공판기록 6-4책 p.1681)

Introduction to Forensic Sciences, edited by ES

시반은 사망시각 추정자료로는 별로 효용가치가 없고, 때때로 사망 후 사체가 이동되었는지의 여부에 관한 자료로는 사용될 수 있다.

③ 증 6의 5 (공판기록 6-4책 p.1684)

A Guide to Pathological Evidence, 3rd Ed., ET

시반은 첫 30분내에 나타나 이후 고정되는바, 변수가 너무 많아 사망시각 추정자료로는 쓸 수 없다.

④ 증 6의 6 (공판기록 6-4책 p.1688)

Forensic Pathology, EA

시반은 30분 이내에 나타날 수 있고 여러 시간 늦게 나타날 수도 있다. 워낙 변수가 많아 사후시각 추정에 별로 쓸모가 없다.

일정한 시간이 경과된 후 시반이 고정된다는 오래된 이론들은 그 고정의 시간간격이 일정하지 않기 때문에 더 이상 유지될 수 없는 것이다.

(나) 시강 관련

① 증 6의 1(공판기록 6-4책 p.1661)

Forensic Medicine, EF & EG

시강의 발현과 지속기간에 영향을 주는 두 가지 중요한 요소는, ㉠ 주변 온도 ㉡ 사망 전 근육 활동의 정도인데, 특히 주변 온도가 높으면 시강의 발현이 빨라지고 지속시간도 짧아지나, 낮은 경우에는 시강의 발현이 늦어지고 지속시간도 길어진다.

1872. EH에 의하여 조사된 '시강의 완성에 필요한 시간표'를 보면, 관찰된 113구의 시체 중 2구가 2시간 이내에 완성되었고, 3～6시간 사이에 79구가 완성되었으며, 13시간까지 걸린 시체도 있었다.

② 증 6의 2(공판기록 6-4책 p.1665)

實用法醫學, EU

기온과 사체강직 완성까지의 시간과의 상관관계를 나타낸 '사체강직표'에 의하면, 시강은 29℃의 경우 50분내에 시작하여 3시간 20분 후 완성되어 24시간 후 풀리기 시작, 28시간만에 완전히 풀리는 것으로, 41℃의 경우 25분 내에 시작하여 1시간 55분 후 완성되어 1시간 22분만에 풀리기 시작, 2시간 30분 내에 완전히 풀리는 것으로 나타나 있다.

③ 증 6의 3(공판기록 6-4책 p.1673)

Simpson's Forensic Medicine, 10th Ed., EA

시강은 운동 또는 탈진상태 직후 사망한 사체에서 빨리 나타나는 경향이 있고, 연소자, 노약자의 경우는 시강이 안 나타날 수도 있다.

실무상 시강과 관련된 거의 유일한 관심은 사망시각 추정에 관한 것인데, 워낙 변수가 많은 과정이라 정확성을 기대할 수 없으므로 시강만에 의한 사망시각 추정은 금물이다.

시강은 화학적 과정이기 때문에 따뜻하게 보존된 사체에서는 시강이 빨리 나타나고 차가운 경우에는 지체된다.

한편, 어느 경우이든 시강이 빨리 오면 소실도 빠르다.

④ 증 6의 5 (공판기록 6-4책 p.1684)

A Guide to Pathological Evidence, 3rd Ed., ET

시강은 사망시각 추정자료로는 신뢰할 수 없고 매우 넓은 범위의 한계를 갖고 있다.

⑤ 증 6의 7 (공판기록 6-4책 p.1691)

The Essentials of Forensic Medicine, 4th Ed., ER

시강의 발현은 사체 주위의 온도, 습도, 공기의 이동과 같은 요소들에 의하여 영향을 받으나, 통상 사후 4시간에 나타나 6시간 내 완성된다고 보여진다.

그러나 2~4시간 내에 완성될 수도 있고 10~13

시간이 경과할 때까지 그 완성이 지체될 수도 있다. 불완전하기는 하나 그래도 그 과정이 측정될 수 있다는 점에서 시반보다는 사망시각 추정에 나은 지표가 될 수 있다.

⑥ 증 6의 8 (공판기록 6-4책 p.1694)

法醫檢視學, DQ

수중에 있는 시체는 시강의 소실시간 등 사체현상이 육지에서의 시체현상과는 다른 속도로 진행된다.

⑦ 증 24 (공판기록 6-6책, 2000. 7. 24. 당원 접수)

법의학 소견서 (Forensic Medical opinion)

본건의 경우, 시강과 관련하여, 욕조 내에 사체가 놓여질 때 물의 온도가 43℃일 것이라고 볼만한 증거가 없을 뿐만 아니라, 수온 하강속도와 관련하여 ㉠ 집 안에 화재가 있었고 ㉡ 사체가 2구

있을 때의 물의 양과 빈 욕조에 차여진 물의 양이 다르므로, 수사기관의 온도변화 추정은 정확하지 않다. 결국 7시 이전 사망은 불확실하다는 결론이다.

(다) 위 내용물 관련

① 증 6의 5 (공판기록 6-4책 p.1684)

A Guide to Pathological Evidence, 3rd Ed., ET

위 내용물의 소화정도에 따른 사망시각 추정은 예전부터 많이 사용되어 오기는 하였으나, 불확실한 요소가 너무 많아 대체로 방기되어 왔다.

마지막 식사시각과 식사 내용물이 알려져 있다 하여도 사망 전의 육체적, 정신적 상태, 신체활동의 유형, 음식물의 저작 정도, 질병이나 약물의 영향, 사후 소화현상 등이 소화의 속도에 영향을 준다.

② 당원의 EP의대 EV교수에 대한 사실조회 회신

(공판기록 6-5책 p.2124)

동위원소를 이용한 위 내용물의 배출시간 측정 결과, 식사 후 위장에 식사량의 절반이 남을 때까지 소요되는 시간은, 액체의 경우 20~30분, 고형식의 경우 70~160분 걸린다고 알려져 있고, 한국 정상 성인에 대한 조사 결과 식사량의 절반이 남는데 소요되는 시간은 84.9±16.4분이다.

바. 당원의 판단

(1) 각 감정의견의 검토

(가) D를 포함한 피해자들의 사망시각에 관한 원심 법원 및 검찰의 기본 입장은, 위 나. 내지 라. 항에서 살핀 바와 같이, D의 사체에 나타난 시반, 시강, 위 내용물의 세가지 사항에 관한 CP, DA, DM 등의 감정의견들에 따라 그 사망시각이 6. 12. 07:00 이전이라는 것이므로, 결국 그 시간대에 피해자들과 아파트 내에 함께 있던 피고인이 범인일 수밖에 없다는 판단에 기초하고 있는바, ① 우선 CP의 의견은, 위 세 가지 사항을 모두

종합하면 D의 사망시각은 '6. 11. 23:30 ~ 6. 12. 06:30' 사이로 추정되고, 시반, 시강의 두 요소만으로 판단하더라도 다수견해에 의하면 07:00 이전에 사망하였다는 것이고, ② DA의 의견 역시 위 사항을 모두 종합하면 짧게는 6. 11. 23:30 ~ 24:00 경, 길게는 6. 12. 02:00 ~ 04:00 경 사망한 것으로 추정할 수 있으며, 특히 두 사람을 살해하고 방화까지 하여야 한다는 점을 감안하면 피해자들이 아침 7시 이후 사망하였을 가능성은 없다는 것이고, ③ DM의 의견 또한 양측성 시반을 주로, 시강의 정도를 보조적으로, 위 내용물은 참고적으로만 판단하여 D가 아침 7시 이후에 사망하였을 가능성은 없다고 보고, D가 아침식사 후 사망하였다면 시반, 시강 현상과 맞지 않게 되며, 사체가 물에 들어가 있는 시간도 결론에 영향을 주지는 않는다는 것이다.

그러나, 시반, 시강, 위 내용물에 관한 DO의 견해와 기타 탄핵증거들에 의하면, 사체 온도 측정 방법을 사용하지 않은 본건에 있어서 위 감정인들이 사망시각 추정의 판단 기초로 삼은 시반, 시강, 위 내용물 등의 사체 현상은, 주위 환경이나 여건, 인종이나 연령의 차이, 대상 인물의 신체 상태 등의 변수가 너무 많아 그 오차 범위가 매우 넓고 예외 사유도 많다는 점에서 기본적으로 사망 시각 추정의 자료로 삼을 수는 없다는 것이고, 다만 이 사건에 있어서 특정 시간대의 사망 가능성 유무 판단, 즉 D가 아침 7시 이전에 사망하였는가의 판단은 가능할지 모르지만, 각 사체 현상을 위와 같이 많은 변수들, 구체적으로 본다면, 양측성 시반이 나타날 수 있는 시간대라든가 뜨거운 물의 온도가 시강 발현 및 완성, 재경직 등에 미치는 영향, 신체적 상황의 변화 및 저작 정도 등에 따른 소화의 정도 등과 함께 검토하여 볼 때, D가 아침 7시 이후에 사망하였을 가능성 역시 충분히 있다는 것이다.

(나) 더욱이, 변호인의 반대신문과정에서 DA은 자신의 감정의견과 상치되거나 그 판단의 기초자료에 문제점이 있음을 인정하는 듯한 내용의 다음과 같은 증언을 하였다.

① 원심 제7차 공판기일

㉠ 시강과 관련하여, D의 사체가 욕조에 얼마나 오래 있었는지, 사체가 발견될 당시의 정확한 수온이 얼마인지는 모른다. ㉡ 주어진 자료에 의하면, D가 07:00 ~ 08:00 사이에 사망하였을 가능성도 조금은 있다.

② 당심 제9차 공판기일

㉠ D의 사망시각은 6. 12. 03:30 경으로 추정할 수 있는바, 그 근거는, 위 Gradwohl's Legal Medicine 책에 사후 6시간은 '시강이 나타나는 시간범위'에 대한 온도 영향이 별로 없다고 되어 있으므로 검안 시각인 6. 12. 11:30 에서 온도변화에 대한 시간을 생각하여 6시간을 빼고, 시강 완성에 소요되는 최소 시간이 2시간이므로 이를 더 빼서 03:30 경을 추정 사망시각으로 본 것이나, 우선 이와 같이 6시간을 뺀 근거에 관하여 잘못되었음을 시인하고(공판기록 6-5책 p.2067), 또한 위 책의 내용과 같이 감정의뢰회신에 기재한 「옷을 입은 상태로 사망한 건강한 성인의 경우 사후 첫 6시간 내에는 온도에 의해 시체경직의 발현이 크게 영향을 받지 않는다」는 취지의 기재는,

본건의 경우 D가 나체였던 점에 비추어 맞지 않는 표현임을 인정한다(같은 기록 p.2047). 다만, 나체라 하더라도 물 속에 있었기 때문에 옷을 입은 것과 별로 차이가 나지 않는다고 본다(같은 기록 p.2060). ⓒ D의 경우, 6. 11. 밤 9~10시에 저녁식사를 하고 6. 12. 아침 아침식사를 하지 않았다면 저녁식사 후 얼마 안 있어(최소한 50분) 사망한 것으로 볼 수 있다는 결론과 관련하여, 이는 식사량의 50%가 위에서 장으로 내려가는 제일 짧은 시간이 48~50분이라는 G.E.T. (gastric emptying time) 검사에 의한 연구결과인데, 다만 D의 경우 먹은 식사량을 정확히 알 수 없어 가장 빨리 내려가는 시간이 50분 정도라고는 단정지을 수 없으므로 법의학 견지에서 이와 같은 결론을 내릴 수 없는 것임을 시인한다(같은 기록 p.2077). ⓒ D가 아침식사를 하였거나, 연기 발견 시각이 정확하지 않다면, 위 추정 사망시각은 틀리게 될 가능성이 있음을 인정한다(같은 기록 p.2063, 2070, 2078).

(다) DM 또한, 당심 제21차 공판기일에 변호인의 반대신문과정에서 감정의견의 문제점을 지적하는

다음과 같은 내용의 증언을 하였다.

㉠ 일반적으로 사망시각을 추정함에 시반이 별로 쓸모가 없다는 점에는 동의하고, 또한, 양측성시반은 통상 서양의 경우 4시간, 일본의 경우 6시간 이후 생긴다고 되어 있지만, 그 이전에 안 생긴다고 확언할 수는 없다. ㉡ 수온이 화상을 입을 정도가 아니라도 영향은 조금 있었을 것이고 따라서 온도는 고려되어야 하므로, 증인은 온도의 영향을 받는 시강보다는 시반을 주로 하여 감정하였다. ㉢ DO의 책에도 사후 8시간이 지나면 재경직이 일어나지 않는다고 되어 있으나, 본건은 수온의 문제가 있어 시강의 경우는 시반의 경우처럼 확실한 결론을 내릴 수가 없어, 시강만으로 보면 수온 때문에 사망시각이 7시 이전이냐 이후이냐를 판단하기 어렵다.

(2) 결론

위 각 견해들을 비교, 종합하면, 결국 피해자들이 아침 7시 이후 사망하지 않았음을 보여주는 명확한 자료가 없고, 사체 온도 측정 방법 등 과학적이고 정확한 자료가 없는 본건에 있어서, 과연 시반, 시강, 위 내용물에 의한 사망시각 또는 사망시간대의 추정이 정확하다고 볼 수 있는가에 관하여 의문이 들 수밖에 없는바, 특히 D의 사체에 나타난 시반, 시강은 수온조차 명확히 알 수 없는 뜨거운 물에 사체가 담겨져 있었던 점에 비추어, 그리고 D의 죽상의 위 내용물은 신체적 상황에 따라 소화정도가 차이나는 점과 자고 난 다음 아침식사를 하지 않은 채 살해되었다면 수면 중 소화가 늦게 진행되는 것이 일반적이어서 그 내용물이 저녁식사일 수도 있다는 점 등에 비추어, 검찰이 제출한 시반, 시강, 위 내용물 등에 관한 위 각 감정의견에 기초하여 피고인의 유·무죄를 결정짓는 데 있어서 중요한 요소라 할 수 있는 피해자들의 사망시각이나 그 사망시간대를 추정한다는 것은 무리라고 아니할 수 없다.

물론 사체 현상에 관한 대다수의 학설들이 07:00 이전 사망사실을 뒷받침하는 것은 사실이나, 그 예외가 있을 수 있고 사체가 뜨거운 물에 담겨져 있었던 점 등을 감안한다면, 피해자들이 07:00 이후 사망하였을 수 있다는 견해가 반드시 위 학설

실체적 진실주의와 무죄추정의 원칙 그 경계에 선 사건들

들의 입장과 모순된다고는 할 수 없다고 보여진다.

4. 화재의 지연 인지 및 그 가능성

화재와 관련하여서는, 우선 이 사건 화재가 주위 사람들에 의하여 인지된 정확한 시각이 언제인가, 그 시각에 비추어 발화시점은 언제로 추정할 수 있는가 하는 점이 검토되어야 할 것인바, 특히 그 시각이 불명확하더라도, 앞에서 인정한 바에 의하면 아파트의 안방 장롱 안에서 발화된 화재가 피고인이 아파트를 떠난 지 1시간 반 정도 지나 인지된 것으로 보이므로, 제3자에 의한 발화 가능성과 관련하여 피고인을 유죄로 인정하기 위해서는 그 지연 인지의 이유와 가능성 유무가 반드시 밝혀져야 한다고 본다.

가. 검찰의 주장과 원심 법원의 입장

원심 법원 및 검찰은, 아래의 나. 다.항 각 증거를 종합하여 본건 화재는 훈소 현상(불꽃 없이 타들어가는 현상)이 수반된 환기지배형 화재로서 연소

가 서서히 진행되어 연기, 냄새 등이 뒤늦게 인지
된 것이라는 판단을 하였으므로 이를 차례로 살펴
보고, 이를 탄핵하는 변호인측의 화재 재현 실험
에 관하여 라.항에서 살펴본 후 마.항에서 각 견
해를 검토하기로 한다.

나. 해저드 (HAZARD) Ⅰ 관련 증거

[증 거]

당심 법정(제24차)에서의 증인 EW의 진술

당심 제2차 공판조서 중 증인 EW의, 제3차 공판
조서 중 증인 BT의 각 진술기재

원심 법정에서의 증인 BT, CL, EX, EW의 각 진
술

검사 작성의 EX, EW에 대한 진술조서의 진술기
재

사법경찰관 작성의 BT에 대한 제3회 진술조서의

진술기재

은평경찰서 경장 CL 작성의 수사보고(수사기록
10-7책 p.264)의 기재

EX, EW 작성의 화재조사 소견서의 기재

(1) 사단법인 EY의 정보관리팀장 EX와 같은 협회
정보관리센타 위험관리팀 대리인 EW은, 우선 이
사건 화재의 발화지점은 안방 장롱 내부로서 방화
에 의한 것이고, 공기가 부족한 상태에서 서서히
연소가 진행된 환기지배형 화재임이 명백하다고
판단한 후, 미국연방표준기술연구소(National
Institute of Standard and Technology)의 화재
연구센타(Center of Fire Research)에서 주거용
건물에 대한 화재예방과 화재분석 목적으로
1989. 개발한 화재 시뮬레이션 분석용 컴퓨터 소
프트웨어 프로그램인 "해저드(HAZARD) 1"에 의
하여 발화시각을 감정하였다.

(2) 컴퓨터 시뮬레이션 감정

위 감정은, 장롱 안 수납된 옷을 일반 가정에 느슨하게 걸려있는 정도의 무게인 1.93㎏으로, 거실 온도를 32∼34℃로 하여, 현장에서 확인된 실 내부구조, 재질, 개구부 및 개폐상태, 개구부 면적, 화재상태, 목격자 증언을 통해 확인된 다용도실 창문 개방 시각, 현관문 개방시각, 안방 출입문 개방시각, 안방 출입문 표면온도 등의 자료를 토대로, 위 개방시각으로부터 얼마의 시간 전에 발화가 되었는가를 측정한 시뮬레이션 감정으로서, 그 기초가 되는 자료 중 시뮬레이션의 전제가 되는 사항은, ① 08:00 경 냄새로 화재를 인지 ② 08:20 경 연기를 눈으로 확인 ③ 경비원 BT의 진술에 근거한 개방 직전의 안방 문 표면온도 32∼34℃ ④ 09:10 경 안방 문 개방 등이 있는데, 위 안방 출입문 온도는 수사기관에서 사건 발생 약 1주일 후인 1995. 6. 20. 베니어판을 가열한 뒤 사건 당시 온도를 감지하였던 경비원 BT에게 그 가열된 온도를 느끼게 하여 이를 표면온도계로 측정, 오차를 감안하여 확인한 "32∼34℃"를, 안방 출입문 개방시각도 위 BT에게 확인한 "6. 12. 09:10"을 각 기초로 감정하였다.

실체적 진실주의와 무죄추정의 원칙 그 경계에 선 사건들

(3) 감정 결과

이 사건 화재는 초기에 장롱 내 수납된 의류부분에서 훈소가 일어났고, 이어서 불꽃이 상층 부분에 이르러 공기공급조건이 원활하여 급격히 탄 후 남은 재나 열기에 의한 훈소가 일어남으로써 2차의 훈소현상이 있었다고 보는바, 특히 의류의 경우 공기공급조건만 맞으면 훈소의 발생이 가능하므로 07:00 이후 08:20까지도 훈소가 지속될 수 있다.

한편, 방안의 공기 온도는 발화 70 ~ 168초 사이에 550℃까지 급상승하였다가 100℃로 급하강을 하였는데 이는 산소부족으로 3분 안에 불이 꺼져가는 상태를 의미하고, 위와 같이 훈소 현상이 있었다 하더라도 불이 붙은 다음에는 3분 안에 온도가 급상승함을 의미하며, 위 168초 이내에 옷, 베니어 천장까지 타들어간 것으로 보인다.

감정 결과, 발화 후 2 ~ 2.5시간 후 안방문 온도가 32 ~ 34℃가 되는 것으로 나타났으므로, 본건 발화시각은 안방문 개방시각인 위 "09:10"으로부터

7200초 ~ 9000초(2시간 ~ 2시간 반) 전인 "06:40 ~ 07:10"으로 판명되고, 나아가 05:10 ~ 08:30까지 10분 간격으로 발화시각을 달리 하여 입력, 실험한 결과에서도, 위 "06:40 ~ 07:10" 사이에 발화되었다고 입력한 경우가 개방 직전의 안방 출입문 표면온도와 현장 연소상황에 부합하므로 그 시각에 발화된 것으로 결론을 내릴 수 있다.

다만, 만약 안방 문 개방시각이 09:25 ~ 09:30이라면 06:55 ~ 07:25가 발화시각이 된다고 볼 수 있는 등 안방문 개방시각이나 안방문의 표면온도가 달라지면 발화 추정시각도 달라져야 한다.

다. 국립과학수사연구소의 감정결과

[증 거]

원심 법정에서의 EZ의 진술

EZ 작성의 감정서(수사기록 10-1책 p.241)의 기재

(1) 화재현장의 연소상황은 밀폐된 상태에서 문짝의 일부만 열려진 옷장 부근에서부터 착화되어 공기 부족에 의한 불완전연소로 연소가 서서히 진행된 형상이며, 옷장 등 연소부위에서는 전기설비 등 발화요인이 될만한 특이점이 식별되지 않는 것으로 보아 인위적 착화에 의한 발화로 추정된다.

(2) 현장과 같이 거의 밀폐되어 외부로부터 공기의 유입이 없는 경우 실내 가연물의 연소는 실내 공기 중 산소가 소진될 때까지 연소가 진행될 것이고, 이후 틈새로 유입되는 산소에 의하여 훈소가 일어나게 되고 훈소의 진행은 가연물의 완전소실 때까지 지속될 것이며, 만약 유입 공기량이 거의 없는 경우 어느 시점에 가서는 자동 소화될 것이나, 유입 공기량이 소량인 경우 수 시간까지는 지속될 수 있을 것이므로, 착화 후 2시간 이상 연소된 형상으로도 볼 수 있으며, 07:00 이전에 발화되었을 가능성도 있다.

(3) 실내에서의 연소로 발생한 연기 등이 외부로 유출되어 발견되는 시간이나 후각에 의한 인지시점에 대하여는 상황에 따라 달라질 수 있으나, 현

장상황과 같이 밀폐된 공간인 경우, 착화 후 1시간 반 정도 경과된 후에 발견될 수도 있을 것이다.

라. 화재 재현 실험

[증 거]

당심 법정(제22차)에서의 증인 FA의 진술

변호인이 제출한 증 22 (화재 재현 실험 결과), 증 23 (화재 재현 실험 비디오테이프)

(1) FB대학교 건축학과 교수로서 많은 실물화재 감정 경험이 있고 건축방재공학 박사인 FA는 2000. 2. 16. 및 2. 24. 2차례에 걸쳐 경기도 소방학교 교정 운동장에서, FC학회의 주관으로 연소공학, 열유체공학, 안전공학 등 전문 교수들의 협조 아래 T호의 안방 구조물을 재현하여 밀폐된 안방에서의 화재 양상에 관한 실험을 하였다.

(2) 재현 실험

실험에 있어서 틈새, 장롱 재질, 안방 및 거실의 변수는 훈소이냐 일시적 연소이냐에 대한 영향이 극소하고 오히려 재료의 수납형태가 중요한 의미를 갖는바, 예컨대 장롱은 그 재질이 아니라 형태가 중요하고, 거실의 존재는 실제 상황에서 장롱의 일부만 탔고 연기가 대량으로 발생한 시점에 화재가 발견되었을 것이라는 점에서 큰 영향이 없을 것이며, 장롱문이 반 정도 열렸는가 1/4 정도 열렸는가 하는 것도 방 전체의 공기량에 의미가 있다는 점에서 큰 차이가 없게 된다.

이 사건 화재는 환기지배형 화재로서, 발화 후 내부에서 온도가 급상승함으로써 단시간 내에 공기의 부피가 급격히 증가하는 시점에 연기가 외부로 방출되고, 그 이후에는 틈새로 인입 가능한 미미한 양의 유입 공기만큼 연기가 바깥으로 나가게 되며, 온도가 점점 내려가면 내부와 외부의 압력이 같아져 외부로 빠져 나오는 연기의 양이 거의 없어지므로 외부에서 관측되기 어려운 점이 있다.

본건의 경우 처음 목격자들이 본 연기가 하얀색이

라면 발화 10분 이내의 화재 초기라 할 수 있는데, 한편 화재 발생시 온도가 100℃ 오르면 공기는 40% 팽창하고 일반적으로 내부공기의 3배 분량이 밖으로 유출된다고 한다.

(3) 실험 결과

실험에 의하면, ① 안방 문을 닫은 상태에서 발화 5～6분 후 연기가 집중적으로 발생하여 바깥으로 나오다가 8분 후부터는 감소되면서 사라졌고, 구조물 내부는 연기가 가두어진 상태로 되어 있었으며, ② 발화 초기에는 방 안의 공기가 충분하여 완전 연소가 가능하면서 하얀 연기가 생기다가, 공기가 부족해지면서 불완전연소가 되어 연기의 색깔이 검은 색으로 변하고, 이처럼 불이 정점에 달한 후 안방 안의 산소가 소진되면서 불꽃이 급격히 줄고 온도도 계속 하강하였으며, ③ 1차 실험시 점화 2분 57초 후 안방 문을 개방하고 9분 3초만에 진입하였더니 외부공기의 유입으로 재연소가 일어났고, ④ 2차 실험시 42분만에 안방 문을 개방하고 48분만에 진입하였더니 재연소현상은 나타나지 않았는바, 결국 1, 2차 실험결과와

실체적 진실주의와 무죄추정의 원칙 그 경계에 선 사건들

장롱과 같은 수납형태를 고려할 때 이 사건 실제 화재도 발화 5, 6분만에 자연 소진되었고 연기는 발화 10분 이내에 발견되었을 것으로 추정되는데, 특히 12층에서 연기가 발견되었다면, 불이 꺼질 무렵에는 연기가 위로 올라갈 수 없다는 점에 비추어 그것은 발화 초기 불꽃이 타오를 때 뜨거운 공기의 부력으로 연기가 어떤 관을 통하여 위로 올라간 것으로 볼 수밖에 없다.

한편, 재현 실험에 참가한 전문가들은 본건 화재가 훈소 양상은 아니라고 봄에 의견이 일치하는데, 자연계에서 훈소 현상은 결과론적으로 보면 많이 있으나 실제로는 아주 드문 현상이고, 장롱의 내부 공간이 너무 협소하여 인위적 훈소를 만드는 것도 굉장히 어려우며, 통상의 경우 착화 1시간 40분 후에 화재가 발견되는 경우는 성립할 수 없다는 점에서 더욱 그러하다.

(4) Hazard Ⅰ 실험과의 차이점에 관한 검토

① T호는 7층 높이이고 본건 실험은 운동장에서 이루어졌으므로 그 공기흐름은 다르다 할 것이나,

공학적으로 구조물 내부의 연소현상에는 큰 영향을 주었다고 보지 않고, ② T호의 창문이 이중창인데 비하여 실험 구조물은 단창인바, 그 차이는 열전도 및 공기유통(통기성)에 영향은 있으나 극히 미미한 정도이며, ③ 장롱 안의 옷 수납형태, 옷의 양 등이 다르지만 착화 이후에는 큰 영향이 없고, ④ 거실 등 타 공간의 존재 차이는 연기 유출시간에 영향을 주기는 하나, 발화 초기의 연기는 상온보다 온도가 높기 때문에 제일 위의 공기는 틈만 있으면 바깥으로 빠져나가려는 속성이 있으므로 그 차이는 길어야 불과 수 분 정도밖에 되지 않으며, ⑤ 다만 벽 구조의 차이는 온도선상에 약간의 차이를 가져오고, 가구배치의 차이(구조물 내에는 장롱만 배치하였다)도 화재에 영향은 있을 것이지만, 큰불로 확산된 화재가 아니라 실내에 그친 화재이므로 큰 영향은 없다고 본다.

(5) 화재 재현 실험 결과에 대한 검찰의 반박

해저드 I 실험을 시행한 EW은 위 화재 재현 실험 결과에 대하여 다음과 같이 반박을 하고 있는바 (당심 법정 제24차 공판기일에서의 진술), ① 본건의 경우처럼 장롱 한 칸만 태운 환기지배형 화재에 있어서는 구조물 안의 가구나 재질, 거실의 크기 등은 영향이 없다고 할 수 있으나, 아파트 전체가 아닌 안방만 재현하여 실험한 것은 실제 상황보다 외부로 연기가 쉽게 유출될 수 있고 따라서 쉽게 발견될 수 있다는 연기유동의 관점에서, 또한 벽 재질의 차이는 열기 지속시간 및 축열의 관점에서, 그 차이가 몇 분에 불과하다고 단정할 수 없는 큰 괴리가 있다 ② 연기의 색깔은 불에 타는 물건의 재질, 화재 당시의 온도, 산소 공급조건 등에서 차이가 발생하므로, 흰 연기가 목격되었다 하여 화재 초기라고는 단정할 수 없다 ③ 환기지배형 화재의 특징은 늦게 인지될 수 있다는 것이고, 더욱이 T호는 더 넓은 2차실(거실 등)이 있다는 점에서 더욱 그러하다 ④ 안방 천장의 플라스틱 화재경보기가 눌러 붙은 것으로 보아 화재 재현실험보다 실제 상황에서는 온도도 높았고 지속시간도 길었을 것으로 보인다.

마. 당원의 판단

(1) 각 증거의 검토

(가) 우선 해저드(HAZARD) 1은, ① 08:00 경 냄새로 화재를 인지 ② 08:20 경 연기 목격 ③ 개방 직전의 안방 문 표면온도 32~34℃ ④ 09:10 경 안방 문 개방 등을 시뮬레이션의 전제가 되는 기초 사항으로 입력하였는바, 먼저 08:00 경 냄새로 화재가 인지되었다는 점에 관하여는 기록상 이를 인정할 만한 뚜렷한 증거가 없고, 또한 위 각 기초사항은 경비원 BT의 진술을 기초로 한 것인데, 위 三. I. 2.항에서 살핀 바에 의하면, BT은 연기를 목격한 시각에 관하여 진술을 번복한 바 있고, 연기 발견 시각과 안방 문 개방시각에 관하여 소방관들 및 BS, BZ, BW 등 7층 주민들의 진술과 모순되는 진술을 하고 있음을 알 수 있을 뿐 아니라, 오히려 위 주민들, 특히 BV호에 거주하는 BW의 진술을 종합하면 BT이 연기를 목격한 것은 08:20 경이 아니라 최소한 08:50 이후라고 보여지고, BT이 T호에 들어가 안방 문을 연 시각도 09:10 경이 아닌 09:15 ~ 09:20 이라고 판단된다.

나아가, 개방 직전의 안방 문 표면온도도 사건 발

생 후 수사기관에서 베니어판을 가열한 뒤 BT으로 하여금 느끼게 한 온도를 표면온도계로 측정한 것인데, 화재를 발견하고 연기가 가득하여 앞을 볼 수 없는 아파트 안으로 들어가 발화지점으로 추측되는 안방의 문을 열었던 BT에게 사건 발생 약 1주일 후 그 온도의 정확한 재현을 기대한다는 것은 불가능하다 할 것이므로, 과연 그 재현된 표면온도가 정확하다고 볼 수 있을지 의문이라 아니할 수 없다.

그렇다면, "06:40 ~ 07:10" 사이에 발화되었다고 입력한 경우가 개방 직전의 안방 출입문 표면온도와 현장 연소상황에 부합하므로 그 시각에 발화된 것으로 결론을 내릴 수 있다는 해저드 1의 시뮬레이션 감정결과는 선뜻 믿기 어렵다 할 것이다(이는 안방 문 개방시각이나 안방문의 표면온도가 달라지면 발화 추정시각도 달라져야 한다는 해저드 1의 감정결과에서도 더욱 그러하다).

(나) 다음으로 국립과학수사연구소의 감정결과는, 본건 화재를 공기 부족에 의한 불완전연소로 실내 공기 중 산소가 소진될 때까지 연소가 서서히 진

행되다가, 이후 틈새로 유입되는 산소에 의하여 훈소가 일어나게 되어 착화 후 2시간 이상 연소된 형상으로도 볼 수 있고, 현장상황과 같이 밀폐된 공간인 경우 연기 등이 외부로 유출되더라도 착화 후 1시간 반 정도 경과된 후에 발견될 수도 있다는 것인데, 반면 변호인측의 위 화재 재현 실험 결과에 의하면 발화 10분 이내에 연기가 집중적으로 발생하였다는 것이고, 이 결과는 비록 안방만의 재현이나 벽 재질 등의 차이를 감안한다 하더라도 1시간 반 이상 지난 시점에야 비로소 연기가 발견될 수는 없다는 것이다.

그러나, 우선 공기의 부족으로 2시간 이상 연소가 서서히 진행되면서 훈소가 일어났다는 점은 그 근거 및 가능성에 관하여 아래와 같이 다소 의문이 있고, 밀폐된 공간이어서 연기가 늦게 인지되었다는 점 또한 위 화재 재현 실험 결과에 비추어 이 사건 화재가 환기지배형 화재라든가 그 과정에 훈소현상이 있었는지 등의 여부에 관계없이 이를 쉽게 취신하기 어렵다 할 것이다.

(2) 결론

앞에서 살핀 바와 같이 최소한 08:50 이후 연기가 목격되었다고 보여지는 이 사건에 있어서, 화재 재현 실험 결과 및 이를 주관한 FA의 진술 등을 종합하여 인정되는 다음의 각 사정, 즉 화재 발생 초기에 집중적으로 연기가 발생한다는 점, 발화지점과 외부 사이의 밀폐된 공간(2차실)의 존재, 구조물의 배치나 벽의 재질에 있어서의 차이 등을 감안한다 하더라도, 온도 상승에 따른 공기 팽창의 정도에 비추어 발화 후 10~20분 이내(10분 + 수 분)에 연기는 바깥으로 나가 목격될 것이라는 점, 장롱 안에 옷이 가득 있었고 그 내부 공간이 협소하여 일단 착화가 되면 화염이 쉽게 번지고 복사열도 바로 전달될 것이라는 점, 그리고 일단 발화가 된 이후에는 방안의 공기 온도가 급상승하였다가 급하강한 점에 비추어 산소부족으로 발화 3분 안에 불이 꺼져가는 상태가 되었음을 알 수 있다는 해저드 1의 감정결과 등에 비추어, 일단 발화가 된 이상 연기가 늦게 발생하여 지연 인지된다는 것은 쉽게 상정하기 어렵다고 추단할 수 있으므로, 결국 연기가 목격된 08:50 경 이전인 08:30~08:40 경 화재가 발생한 것이라고 볼 수

밖에 없다.

특히, 07:00 경 아파트를 나선 피고인이 방화를 하였다고 인정하기 위해서는, 피고인이 출근 전에 일단 착화를 한 후 1시간 반 이상 지나 발화가 되도록 어떤 특수 장치를 하였든가 아니면 훈소현 상이 1시간 반 이상 계속되다가 불꽃이 일어났다 고 보아야 하나, 기록상 위와 같은 특수 장치가 있었던 흔적에 관한 증거는 없을 뿐 아니라, 자연 계에서 위와 같은 지속적인 훈소현상은 쉽게 찾아 볼 수 없고 인위적 훈소를 만드는 것도 매우 어렵 다는 것이니, 결국 화재가 지연 인지될 가능성은 희박하다고 보여지고, 그렇다면 이 사건 화재는 피고인이 출근하기 전에 발생하였다기 보다는 그 이후 제3자에 의하여 발생한 것이라고 봄이 더 합 리적이라 할 것이다.

5. 피고인의 진술에 관한 검토

위 I. 4.의 가.항 기재와 같은 피고인의 변소 중 일관성이 없는 부분 또는 거짓 내용은 없는지, 있 다면 그러한 점으로 피고인의 유죄를 인정할 수 있는지의 여부에 관하여 보건대, 우선 거짓말탐지기에 의한 조사 결과를 검토한 후 피고인의 진술을 살펴보되, 그 진술 중 사법경찰관 사무취급 작성의 피고인에 대한 각 피의자신문조서 및 진술조서, 피고인 작성의 각 자술서에 기재된 내용은 피고인이 모두 그 내용을 부인하고 있어 이를 각 증거로 삼을 수 없으므로, 진술의 일관성이나 거짓 여부를 판단함에 있어 위 각 증거는 검토 대상에서 제외되어야 할 것이다.

가. 거짓말탐지기 검사 결과

[증 거]

당심 제3차 공판조서 중 증인 FD의 진술기재

원심 법정(제10, 17차)에서의 증인 FD의 각 진술

검사 작성의 FD에 대한 각 진술조서의 각 진술기재

원심 법원의 검증조서(공판기록 6-1책 p.321)의

기재

FD 작성의 거짓말탐지기검사결과통보서의 기재

(1) 피고인은 1995. 7. 7. 거짓말탐지기 감정에 동의하여, 1995. 7. 13. 13:00 ~ 16:00 국립과학수사연구소 생물학과 거짓말탐지실에서 피고인의 누나인 U의 참관하에 거짓말탐지기 검사가 긴장정점검사법의 방법으로 행하여졌고, 검사결과 통보서는 같은 달 20. 작성되었는데, 당시 검사가 끝날 무렵 U이 불시에 탐지실로 들어와 검사를 방해하는 바람에 중단되었다.

(2) 긴장정점검사법이란, 진범만이 반응할 수 있는 내용으로 그 관련 내용을 순서대로 또 역순으로 계속 물어 관련되는 위치에 반응이 나타나는지 여부를 확인하여 감정하는 방법으로서, 그 질문사항을 작성하고 시행함에 있어서 전제가 되는 것은, 범인 이외에 아무도 모르는 범행 관련사항을 찾아 그 반응을 보아야 하고 수사과정 또는 언론 등에 의하여 공개되어 부정확한 반응이 나올 우려가 있는 사항은 배제되어야 한다는 것이다.

(3) 검사 결과

피고인은, ① 살해장소에 대하여 거실과 화장실에서, ② 살해장소 중 구체적인 살해위치에 대하여 거실의 좌측 중앙부분에서, ③ 살해시각에 대하여 04:00 경에서, ④ 살해를 완료하고 밖으로 나온 시간에 대하여 4시간 후에서, ⑤ D와 Q의 살해시간 간격에 대하여 40분에서, 각 양성반응(진범만이 나타낼 수 있는 반응)을 보였는바, 위 결과는 대법원판례가 요구하는 거짓말탐지검사의 증거능력 부여 요건을 모두 충족하는 적법한 검사에 의한 것이다.

(4) 결론

한편, 원심에서 거짓말탐지과정 비디오테이프를 검증한 결과, 피고인이 "7시 이전에 피해자들이 사망하였다고 경찰이 말해주었다"는 이야기를 하는 부분이 녹화되어 있음이 발견되었는데, 수사기록에 의하면, ① 피고인이 1995. 6. 17. 은평경찰서 진관파출소로 임의동행되어 혐의사실이 고지되고 같은 날 작성된 사법경찰관 사무취급 작성의 피고인에 대한 제2회 진술조서부터 피고인에 대한 수사기관의 범죄 추궁이 시작되었음이 기록에 남아 있는 점, ② 1995. 7. 7. 작성된 같은 제5회 진술조서에서 수사기관이 "국립과학수사연구소의 감정결과나 DM, DA의 시강상태 감정결과에 의하면 6. 11. 23:30 ~ 04:30 사이에, 시반상태 감정결과에 의하더라도 01:30 ~ 06:30 사이에 사망한 것으로 되어 있다"고 하면서 피고인이 범인임을 추궁한 점을 각 알 수 있는바, 만약 위 검사 전 살해 또는 사망시각에 관한 감정결과가 피고인에게 알려졌다면 위 5가지 항목 중 살해시각에 관한 질문은 부적절한 것으로 보여지나, 다만 그렇다 하더라도 나머지 항목에 관하여는 아무 영향이 없다 할 것이고, 또한 넓은 시간대로 알려졌다면 위 살해시각에 관한 질문에 관하여도 큰 영향은 미치지 않았을 것으로 보여지므로, 일응 위 조사 결과는 범행을 부인하는 피고인의 진술에 신빙성이 없다는 간접적 자료가 될 수 있다고 볼 수 있다.

그러나, 위 검사결과 중 피고인이 살해시각 04:00경 부분에서 양성반응을 보였다는 점은 당시까지

실체적 진실주의와 무죄추정의 원칙 그 경계에 선 사건들

D가 살아 있다가 그 무렵 살해당하였다는 결론을 도출시키나, 검안 당시 D의 눈에 콘택트렌즈가 착용되어 있었다면 동인이 새벽 4시까지 콘택트렌즈를 착용한 채 자지 않고 있었다는 것은 상정하기 어렵다는 점에서 이는 도저히 납득할 수 없다 할 것이므로, 위 검사결과에도 의문을 지울 수가 없다.

나. 피고인의 진술 내용

(1) 일관성의 문제

(가) 피고인은 당심 법정(제13차 공판조서) 및 원심 법정(제2차)에서, 그리고 검사 작성의 제1, 3회 각 피의자신문 당시, 자신의 진술 중 일관되지 못한 부분에 관하여 추궁당하거나 이를 시인한 일이 있는데, 그 진술내용의 중요부분은 다음과 같다.

① 경찰에서는, 6. 12. 아침 자신이 샤워를 했던 것으로 생각이 나 샤워를 하였다고 진술하였고, D 역시 샤워를 하러간다고 하면서 욕실로 들어갔기 때문에 샤워를 했을 것이라고 생각하였으며, 그래

서 D가 흰 가운을 입고 나왔고 배웅할 때도 그 옷을 입고 있었다고 진술하였다.

그러나, 나중에 생각해 보니 자신이 머리감은 기억은 확실히 나지만 샤워를 했는지 여부가 기억안 나고, D가 세수만 하고 나왔을 수 있을 것이라는 생각도 들어, 지금은, 아침에 자신과 D가 샤워를 했는지, D가 흰 가운을 입고 있었는지의 여부에 관하여 기억나지 않는다고 진술하는 것이다.

② 경찰에서는, 6. 12. 자신의 아침식사 내용 중 콩나물국과 조기 반 마리가 있었다고 진술한 바있다.

그러나, 지금은 콩나물국을 먹었는지 여부가 정확하게 기억나지 않고, 또한 사건 이후 쓰레기봉지에서 조기 반 마리가 발견된 사실을 들었다고 진술하고 있다.

(나) 판단

우선 피고인이 진술을 번복한 이유에 관하여 살펴

실체적 진실주의와 무죄추정의 원칙 그 경계에 선 사건들

보면, 피고인 및 D의 샤워 여부에 관하여는, 사건 발생 후 아래 (2)의 (가) ③항 기재와 같이 욕실 벽면 등에 물방울이 튄 흔적이 없다는 수사결과가 나왔으므로 이와 모순되지 않기 위하여 샤워 여부가 기억나지 않는다는 취지로 진술을 바꾸었고, 피고인 출근시 D의 복장에 관하여도, 안방 바닥에서 D의 흰 가운이 발견되었으므로 그 진술을 바꾸었으며, 또한 콩나물국 등 아침식사의 내용에 관하여도, 냉장고 안에서 콩나물국이 발견되고 부검결과 D의 위 내용물에서 콩나물이 발견되지 않자 진술을 번복하게 되었다고 볼 수도 있을 것이다.

그러나 한편으로, 통상적으로 자신이 매일 일상적으로 하는 행위를 특별한 이유로 인하여 하지 않거나 하지 않는 행위를 같은 이유로 하게 되는 등의 예외적인 경우에는 이를 쉽게 기억할 수 있음이 보통이나, 그렇지 않은 경우에는 샤워 여부, 처가 아침에 입은 옷, 매일 매일의 식사 내용 등 매우 일상적인 내용을 모두 기억한다는 것은 쉽지 않을 뿐만 아니라, 처자식이 사망한 사고가 발생한 직후 갑작스럽게 추궁받는 피고인의 입장이라면 더더욱 이를 자세히 기억해낼 수 없을 수 있다는 점도 유의하여야 할 것으로 본다.

다만, 일단 진술한 내용을 번복한다는 것이 피고인에게 불리한 정황이라는 점은 부인할 수 없다.

(2) 거짓말 여부

(가) 피고인이 거짓말을 하고 있는 것이 아닌가 하는 의심이 드는 부분의 진술은 대체로 다음의 세 가지 정도이다.

① 6. 12. 사건 당일 D는 아닐지라도 최소한 피고인은 아침식사를 하였다고 진술하고 있으나(피고인은 D가 자신도 아침을 먹겠다고 말하였다고 진술하고 있으므로, D의 아침식사 여부에 관하여 명확한 진술은 하지 않고 있는 것으로 볼 수 있다) 주방이 깨끗하게 정리된 점 등 여러 가지 정황에 비추어 D는 물론 피고인도 아침식사를 하지 않은 것으로 보이는바, 이에 대하여 피고인은 최소한 자신은 아침식사를 하였음에도 주방이 깨끗하게 정리된 점에 관하여 의아하게 생각되는 점이

없지는 아니하나 D가 설거지를 하였거나 식기세척기를 가동하였을 수도 있다고 진술하고 있다.

② 피고인은 6. 11. 21:30~22:00 및 6. 12. 05:00 경 Q에게 우유를 먹였고 D도 밤에 2번 먹였다고 말하였다는 진술을 하고 있으나, V는 Q이 밤 21:00 경 반병, 24:00 경 나머지 반병, 새벽 03:00 경 1병, 아침 06:00~07:00 경 다시 1병 등 도합 3병의 우유를 먹는다는 것이고, 또한 사건 현장에서는 사용된 우유병이 1개만 발견되었는바, 이에 대하여 피고인은 Q의 수유습관이 V의 진술과 다를 뿐만 아니라 주방의 탁자 위에 있던 우유병 2개 중 하나는 사용된 것이라고 주장한다.

③ 피고인은 6. 12. 아침 샤워는 몰라도 머리는 감은 것이 확실하다고 진술하고 있으나, 실황조사 당시 욕실의 벽면 등에는 물기나 물방울 등의 흔적을 일체 발견할 수 없었던 사실은 앞에서 살핀 바와 같고, 또한 당심 제3차 공판조서 중 증인 CL의, 제4차 공판조서 중 증인 FE의 각 진술기재, 원심 법정에서의 증인 FF, FE, FG의 각 진술, 사법경찰관 사무취급 작성의 FF, FE, FG에

대한 각 진술조서의 각 진술기재를 종합하면, 경찰은 1995. 9. 14. 서울 은평구 FH아파트 FI호에서 화장실 벽면의 그을음 상태를 확인하기 위하여 화재모의실험을 실시하였는데, 우선 화장실에서 5분간 샤워를 실시하고 문을 닫은 다음, 실제 사건에서의 피고인의 샤워시각 및 출근 이후 시각의 시간 간격을 기초로 창문 등을 닫아 밀폐한 안방 방바닥에 옷을 쌓아 불을 붙이고 안방과 화장실 문을 닫은 후, 다시 실제 사건에서의 현관 출입문 개방시각 및 검안시각의 시간 간격을 기초로 화장실 문을 개방하여 얼룩과 그을음의 상황을 확인한 사실, 그 결과, 집안 전체에 연기가 가득하였고 화장실 벽면과 변기통 위의 물방울이 튄 곳은 그을음으로 인한 얼룩점들이 형성되어 있었으며, 실험 19시간 후에는 그 얼룩이 더욱 선명하게 나타난 사실을 각 인정할 수 있으므로, 피고인의 진술은 위 실험결과와 상치된다고 할 수 있는바, 이에 대하여 피고인은 머리를 조심스럽게 감았으므로 물방울 자국이 없을 수도 있고 당시의 기온이나 습도에 비추어 그 자국이 말랐을 수 있다고 주장한다.

④ 피고인은 D와 O 사이의 불륜을 몰랐고 본건 이후 비로소 알게 되었다고 진술하고 있으나, 앞에서 살핀 바와 같이 주변 인물들의 각 진술에 의하면 피고인이 두 사람 사이의 관계를 눈치채고 D에게 이를 따진 적도 있어, 피고인으로서는 알고 있었던 것으로 보인다.

(나) 판단

① 피고인이나 D가 6. 12. 아침식사를 하지 않은 것으로 보이는 것은 사실이나, 다른 한편, 앞에서 인정한 바와 같은 각 사실, 즉 6. 11. 밤 피고인과 D가 미역국 등으로 함께 저녁식사를 하였고, 식사 후 D가 식기세척기를 가동한 사실, 실황조사 당시 주방의 개수대 안에 미역국이 들어있던 것으로 보이는 냄비가 물이 가득 찬 채 있었고, 개수대에 걸려있던 물받이 안에 유리쟁반 1개, 고무장갑 1켤레, 인조행주 3개가 들어 있던 사실, 그리고 BT 작성의 진술서(수사기록 10-4책 p.107)의 기재에 의하여 인정되는 다음의 사실, 즉 피고인과 은평경찰서 경찰관들이 1995. 6. 14. BU동 쓰레기장을 뒤져 피고인이 사건 당일 버린 쓰레기봉

투를 찾아 확인한 결과 수박껍질, 반찬찌꺼기 등이 들어 있었던 사실 등에 비추어 보면, 6. 11. 밤 D는 저녁식사에 사용한 식기를 식기세척기에 넣어 가동한 다음 수박을 잘라 위 유리쟁반에 담아(유리쟁반은 그 모양이나 형태에 비추어 식사와는 관계없이 통상 과일을 담는 데 사용되는 것이다) 피고인에게 준 후 위 쟁반을 따로 씻어 물받이에 올려놓은 것으로 추정할 수 있는바, 그렇다면 6. 11. 밤 D가 위 냄비만 식기세척기에 넣지 않을 이유가 없고(이에 대하여 V는 원심 법정 제14차 공판기일에서 위 냄비는 식기세척기에 넣지 않는다고 증언하고 있으나, 실황조사서에 편철된 사진에 의하면 식기세척기의 내부는 위 냄비가 충분히 들어갈 정도로 넓은 것으로 보여지므로 위 V의 증언은 잘 납득이 가지 않는다), 또한 당심 제4차 공판조서 중 V의 진술기재에 의하면, 통상 D는 국이 남았으면 안 씻고 비었으면 저녁에 씻었던 사실을 인정할 수 있어, D가 식기세척기 가동 후 유리쟁반을 그냥 씻어 놓으면서 냄비는 씻지 않고 놔둘 이유 역시 없을 것이므로, 결국 위 냄비는 피고인 또는 D가 아침식사시 먹은 미역국을 담았던 것으로서 사용 후 씻지 않고 물만 담아 개수대에 그냥 둔 것으로 볼 수 있고, 따라서 피고인이 아침식사를 하지 않은 것이라고는 단정할 수 없는 것이며, 또한 반찬은 용기 그대로 냉장고에 다시 넣고 밥이 담겼던 그릇과 수저만을 D가 손으로 씻어서 정리하였을 가능성도 전혀 배제할 수는 없는 것이다.

② 다음으로 우유병에 관하여는, 우선 Q의 수유습관에 관한 V의 진술에 의하면, Q은 피고인의 제대 직후인 1995. 4. 경부터 죽을 먹기 시작하면서 낮에는 우유를 많이 안 먹었고 밤에는 죽을 잘 먹지 않는 대신 우유를 먹었는데, 죽을 먹기 시작한 위 4.경부터 사건 당일까지의 2개월 남짓 동안 밤 21:00 경 반병, 24:00 경 나머지 반병, 새벽 03:00 경 1병, 아침 06:00 ~ 07:00 경 다시 1병 등 도합 3병을 먹었고, 다만 그 이전에도 밤새 3병 정도를 먹기는 하였으나 그 횟수가 더 많았다는 것인바, 그렇다면, Q의 위와 같은 수유습관은 불과 2개월 정도의 기간 동안 V에 의하여 관찰된 것이고(더욱이 1995. 5. 26.부터는 V가 Q을 직접 키우지 않았으므로 그 관찰의 정확성에 의심이 간다)그 이전의 수유습관은 이와는 전혀 달랐다는

것이니, 도합 3병을 나누어 마시는 위 수유습관이 사건 직전의 밤에도 반복되었다고는 확언할 수 없다 할 것이고, 또한 위 수유습관을 인정한다 하더라도, 6. 11. 밤 V의 집에서 돌아온 D와 Q이 죽을 나누어 먹은 것으로 본다면 Q은 이후 6. 12. 새벽까지 평소보다 우유를 덜 먹었을 것으로 볼 수 있으며, 한편, 1996. 5. 11. 시행된 환송 전 당원의 검증결과 주방 탁자 위의 플라스틱 쟁반에 놓여있던 우유병은 젖병, 젖꼭지, 젖병마개가 모두 분리되어 있었고, 명확하지는 않으나 위 분리된 젖병 바닥에 우유찌꺼기가 일부 남겨져 있음이 발견되었음은 앞에서 인정한 바와 같은바, 그렇다면, D가 자기 전에 1회용 분유통을 사용하지 않고 집에 있는 분유 및 이유식으로 우유를 타서 위 분리된 우유병에 담아 Q에게 밤새 2번 우유를 먹이고 이를 분리하여 물에 씻은 후 주방 탁자 위에 놓아둔 것이라고 못 볼 바 아니며(당심 제8차 공판조서 중 증인 V의 진술기재 부분에 의하면, V는 D에게 세척된 우유병을 줄 때 뚜껑을 살짝 올려서 비닐에 싸 주므로 작은 충격에도 쉽게 분리될 수 있다는 취지의 진술을 하나, 위 분리된 우유병이 플라스틱 통에 따로 있었던 점, 다른 우유

실체적 진실주의와 무죄추정의 원칙 그 경계에 선 사건들

병은 분리되지 않은 채 놓여 있던 점 등에 비추어 위 진술에는 선뜻 수긍이 가지 아니한다), 따라서 실황조사 당시 안방 침대 하단에서 발견된 우유병을 포함하여 모두 2개의 우유병이 사용되었고, Q은 피고인 출근 후 아침 우유를 먹기 전에 살해된 것이라고 할 수 있는 추론도 가능하다 할 것이다.

③ 또한, 욕실 그을음 자국과 관련하여 살펴보면, 비록 피고인이 머리를 감았다 하더라도 조심스럽게 하였다면 물방울이 벽면 등에 튀지 않았을 수 있고, 본건 연기 발견 시각이 08:50 경이라면 피고인이 머리를 감았다고 진술하는 시각인 06:00 ~ 06:30경부터 약 2시간 정도 지나는 동안 당시 기후 조건에 따라 물방울 흔적이 말라버렸을 수도 있으며, 또한 앞에서 인정한 바와 같이 욕조와 벽면 사이 경계의 평평한 부분에 물이 고여 있고 그 위에 그을음이 곱게 앉아 있었던 점에 비추어 사체를 욕조에 담기 전 누군가가 욕실을 사용한 흔적이 있는 점 등에 비추어 피고인의 변소가 전혀 이해되지 않는 것은 아니라 할 것이고, 한편 위 화재모의실험 결과를 놓고 보았을 때, FE는 원심 제12차 공판기일에서 안방과 마루 두 곳에 불을

놓았다고 증언하였다가 이는 잘못된 진술이라고 당심 제4차 공판기일에 진술을 번복하였을 뿐만 아니라, FF, FE 모두 원심 제12차 공판기일에서는 안방 및 화장실 문을 열어둔 채로 실험하였다고 진술하였고, FE는 당심 제4차 공판기일에 안방문을 열어둔 것으로 기억한다고 진술하는 등 그 진술내용이 서로 달라, 위 실험결과를 그대로 믿기 어려운 점이 있다고 할 수 있다.

④ 마지막으로, 피고인이 D와 O 사이의 불륜을 사건 전까지 몰랐다는 진술에 관하여 보건대, 각 증거에 의하면, 피고인이 강릉에 있는 동안 D와 O이 자주 외출을 하고 D가 밤에 자고 들어온 일도 있으며 치질수술로 병원에 입원한 D를 남자인 O이 문병오는 등 예사롭지 않은 관계에 있었음은 피고인도 알고 있었고 이를 D에게 따진 일도 있음을 인정할 수 있으나, 그렇다 하더라도 피고인이 D와 O의 성관계 등 극한적 단계까지 알았다고 볼 만한 증거는 없으므로 반드시 피고인이 거짓말을 하고 있는 것이라고는 할 수 없고, 다만 피고인이 이를 짐작하였을 수는 있겠으나 용의자로 수사받는 피고인으로서는 위 불륜관계를 알고 있었

다는 점이 중요한 범행동기로 간주될 수 있다는 측면에서 이를 알지 못하였다고 진술할 수도 있을 것이다.

다. 당원의 판단

결국, 거짓말탐지기 검사결과와 피고인의 진술내용을 검토하여 보면 그 진술에 일부 일관성이 없거나 거짓으로 보이는 부분이 있음은 부인할 수 없다 하겠으나, 과연 그러한 사정을 유죄의 정황증거로 볼 수 있는가, 그렇다면 유,무죄의 인정에 어느 정도 영향을 줄만큼 중요한 것인가 라는 점은 깊이 생각해 보아야 할 문제이다.

그러나, 우선 피고인이 거짓 진술하고 있는 몇 가지 내용 중 O과의 불륜 이외의 내용은 위와 같이 이를 반드시 거짓이라고는 보기 어렵고, 위 불륜 문제 역시 피고인이 범인이 아니라도 이를 몰랐다고 진술할 수 있는 점에 비추어 공소사실 인정에 있어서 그다지 중요한 자료라고는 할 수 없다 할 것이며, 또한 진술의 번복에 관하여는, 앞에서 살핀 바와 같이 일상적인 내용을 기억한다는 것이

쉽지 않다는 점, 사건 발생 직후 당황한 가운데 이를 자세히 기억해낼 수 없을 수도 있다는 점 등에 비추어 볼 때, 위 진술의 번복이라는 사정을 피고인에게 불리한 다른 정황증거와 종합하여 유, 무죄의 자료로 판단할 수는 있을지언정 그 사정만으로 피고인을 유죄로 인정하거나 이를 유죄의 결정적 정황이라고는 보기 어렵다 할 것이다.

6. 기타 정황에 관한 판단

가. 손톱 자국

사건 당일 발견된 피고인의 우측 상완부 손톱자국에 대한 원심 법원 및 검찰의 시각은, 위 자국이 누구의 손톱에 의한 것이지는 불명하나, 그 모양이 피고인의 우측에서 보았을 때 「) 」의 형태로 되어 있는 점, 피고인은 오른손잡이이므로 밖에 쭈그리고 앉아 오른손을 이마에 댄 채 왼손으로 오른팔을 꽉 잡아 끌어당기면서 생긴 상처라고 주장하는 피고인의 변소{피고인은 검찰 제1, 3회 각 피의자신문 당시에는 아파트 문 앞에 쭈그리고 앉아 팔을 끼고 있으면서 왼손으로 오른팔을 꽉 잡아 생긴 상처라고 진술하였고, 원심 법정 제2회 공판기일(공판기록 6-1책 p.87)에서부터는 오른손을 머리에 대고 왼손으로 오른팔을 잡아 생긴 상처라고 진술하였다}에는 선뜻 수긍이 가지 않는 점 등에 비추어, 이는 피고인이 뒤에서 D의 목을 조를 때 이에 반항하던 D가 오른손으로 피고인의 오른팔을 잡으면서 생긴 손톱자국이라고 봄이 상당하다는 것이다.

그러나, 위 자국의 형태가 피고인의 왼손에 의하여 생길 수 없는 것이라고는 단정 할 수 없을 뿐만 아니라, 오른손잡이라 하더라도 왼손에 의하여 손톱자국을 낼 수 있는 것이고, 또한 뒤늦게 아파트에 도착한 피고인이 입구 쪽에 팔을 엇갈리게 잡은 채 쭈그리고 앉아 있었다는 V의 진술내용도 위와 같은 피고인의 변소를 뒷받침한다고 볼 수 있으므로, 이를 유죄의 간접증거로 보기에는 부족하다고 할 수밖에 없다.

나. 잘려진 커튼 줄이 범행도구인가

원심과 검찰은 D를 살해한 범행도구로서 피고인

의 아파트 베란다에 설치된 로만쉐드 커텐의 일부 잘려진 끈을 지적하는 한편 Q에 대한 범행도구로는 "어떤 줄" 또는 "종류 미상의 가는 줄"이라고만 표현하였다.

그런데, 사건 발생 후 위 커텐의 3가닥 끈 중 일부가 절단되어 없어졌고, 이는 화재 전 날이 있는 공구에 의하여 잘린 것으로 판명된 사실, CP은 D 경부의 색흔이 위 끈에 의하여 생겼을 가능성을 배제할 수 없다는 의견을, CV는 위 끈으로 D의 목을 조였을 가능성이 크다는 의견을 각 제시한 사실은 앞에서 살핀 바와 같으나, 피고인이 위 끈을 절단하였다고 볼 만한 자료는 기록상 찾아볼 수 없을 뿐만 아니라, 위 CP, CV의 각 의견도 이 사건 범행도구가 위 끈일 수 있다는 가능성만 제시한 것에 불과하여 이를 범행도구로 인정하기에는 부족하다 할 것이고, 달리 이를 인정할 자료도 없다.

그러므로, 원심판시 범죄사실이나 공소사실과 같이 잘려진 커튼 줄을 범행도구로 인정할 수는 없다 할 것이다.

실체적 진실주의와 무죄추정의 원칙 그 경계에 선 사건들

다. DH 비디오테이프

피고인이 강릉에 있을 때인 1994. 2. 28. 및 10. 26. 범행수법에 있어서 본건 사고 경위와 유사한 점이 많은 범죄영화인 'DH'라는 비디오테이프를 2회 빌린 것은 사실이다.

그러나, 위 두 번째 대여 이후 거의 8개월이나 지난 1995. 6. 12. 이 사건 범행이 일어났다는 점에서 그 연관성을 인정하기에는 시간 간격이 너무 넓어 보이고, 가사 관련성을 인정한다 하더라도 그 내용이 일부 비슷하다는 점만으로는 이를 유죄의 정황으로 보기에 다소 부족하다.

라. 사건 직후 피고인의 이상한 태도

V 등 D의 친정식구들 진술에 의하여 인정할 수 있는 피고인의 이상한 태도는, ① 6. 12. 아침 V로부터 아파트에 불이 났다는 전화를 받고도 놀라지 않은 점, ② 피고인은 아파트에 도착하여 피해자들이 사망하였다는 말을 듣고도 안에 들어가려

하지 않고 입구 쪽에 팔을 엇갈리게 잡은 채 쭈그리고 앉아 있었던 점, ③ 6. 13. 새벽 BI병원 영안실에서 V에게 콩나물국을 끓여주었느냐고 묻는 한편 미안하다는 말을 반복하였고, 같은 날 낮에는 AC을 보자마자 자신은 범인이 아니라는 말을 한 점, ④ 영안실에서 많이 울지 않고 D의 사체나 친정식구들의 얼굴을 보려 하지 않은 점, ⑤ 6. 14. 벽제 화장터에서 다른 의사와 함께 이야기를 하는 등 장례절차에 관심이 없는 것처럼 보인 점, ⑥ 장례식 후 처갓집에서 V에게 "치실로 이빨 사이를 쑤시면 피가 묻지요"라고 물은 점 등이다.

이에 대하여 피고인은, 경찰이 출입을 통제하였기 때문에 집안으로 들어가지 못하였던 것이고, AC에게 자신이 범인이 아니라고 말한 이유는 사건 직후부터 경찰에서 피고인을 범인으로 지목, 추궁하였기 때문에 이를 해명하고 싶어서였으며, 장례절차 과정에서도 D의 사체를 보면서 처라고 느껴지지 않는 등 어색한 기분이 들었을 뿐 특별히 이상한 행동을 한 적은 없다는 등의 변소를 한다.

우선, 아무리 경찰이 못 들어가게 한다 하더라도

처자식이 사망하였음에도 이를 확인하지 않은 것은 통상의 사람으로서 이례적인 행동이라고는 할 수 있으나 너무 놀라고 당황스러운 당시의 정황에 비추어 망연자실한 행동을 보일 수도 있는 것이고, 또한 피고인이 범인이라면 오히려 더욱 자연스러움을 가장하기 위하여 어떻게든 집안으로 들어가 확인하려 하였을 것이며, 더욱이 검찰은 팔의 손톱자국을 은폐하기 위하여 집안으로 들어가지 않고 집 밖에 쭈그리고 앉아 팔을 엇갈리게 잡고 있었다는 주장을 하지만, 피고인으로서는 집안에 들어가 사망사실을 확인한 후에라도 그후 나와서 위와 같은 자세를 취함으로써 팔의 손톱자국을 은폐할 수 있었을 것이므로, 이와 같은 은폐의 의도하에 집안으로 들어가지 않고 집 밖에 쭈그리고 앉아 있었다는 검찰측 의견에는 찬동할 수 없다.

그밖에 피고인의 전화를 받는 태도, 영안실과 화장터에서의 행동 등은 감정 표현의 방법이 사람마다 다르고 또한 다른 사람의 언행 및 태도는 보는 사람에 따라 그 받아들이는 느낌이 다를 수 있다는 점에서 이를 특별히 이상하다고 보지 않을 수도 있으며, 또한 콩나물국이나 치실에 관한 질문

역시 피고인이 수사기관에서 식사내용이나 Q 살해의 범행도구와 관련된 추궁을 받아 이를 V에게 확인하는 의미에서 물어볼 수도 있다는 반대해석의 측면으로 보면 이해 못할 바가 아니므로, 이와 같은 피고인의 언행이나 태도가 피고인이 유죄임을 나타내는 정황이나 간접사실이라고는 단정할 수 없다.

한편, 검찰은 피고인이 1995. 9. 1. 체포될 당시 도주하려고 하였던 점도 이상하므로 이 역시 피고인의 유죄를 입증하는 정황이라고 주장하나, 이에 부합하는 듯한 취지의 수사보고(수사기록 10-4책 p.388)는 증거로 제출되지 아니하였을 뿐 아니라, 가사 피고인이 체포 직전 도주하려 한 일이 있다 하더라도 이 점 역시 피고인의 유죄를 뒷받침한다고는 볼 수 없다 할 것이다.

마. 콘택트렌즈

위 I.의 1.3.항에서 살핀 바와 같이, 소프트렌즈를 착용하는 D는 아침 출근 무렵 세수 후 렌즈를 착용하고 화장을 하며, 밤에는 귀가 후 자기 직전 몸을 씻을 때 화장을 지우고 렌즈를 뺀 뒤 세수한 다음 잠을 자는데, 사체 검안 당시 D는 화장을 하지 않은 상태로서 눈을 벌리자 소프트렌즈가 쉽게 빠져 나왔다는 것이므로, 결국 D는 밤에 화장을 지우고 렌즈를 빼기 직전 또는 아침에 렌즈를 착용하고 화장을 하기 직전 사망하였다고 보아야 할 것이다.

그런데, 만약 D가 밤에 사망하였다면, 화장을 지운 상태로 오래 있거나 밤늦도록 렌즈를 오래 착용한다는 것은 상정하기 어렵다는 점에서 24:00 이전에 사망하였을 가능성이 높다고 보아야 할 것이지만, 그렇다면 검안 당시 D의 사체에는 더 많은 시반의 고착(침윤성 시반)이 관찰되었어야 하므로 사체 검안 결과와 맞지 아니할 뿐 아니라, D가 만약 아침에 사망하였다면, 동인이 아침에 깨어 일어나서 세수를 하고 렌즈를 착용한 다음 피고인이 D와 Q을 살해한 후 사체를 욕조에 넣고 안방에 불을 놓는 일련의 행위에 소요되는 시간을 감안할 때, 피고인이 07:00 경 출근하기 전의 짧은 시간 동안 범행을 저질렀을 가능성보다는 피고인이 출근한 다음 D가 설거지를 한 이후 앞에서 판단한 바와 같은 화재 발생시각인 08:30~08:40 경까지의 약 1시간 30분 동안 제3자에 의하여 범행이 저질러졌을 가능성이 더 높다고 보여진다.

바. 한약봉지

D가 매일 아침, 저녁 식후 한약을 전자레인지에 데워 2회 복용하는 사실, D는 6. 11. 저녁식사를 한 사실, 사건 발생 후 전자레인지 안에서 한약봉지 1개가 발견된 사실은 앞에서 인정한 바와 같은 바, 그렇다면, D가 아침식사를 잘 하지 않는다 하더라도 일단 전자레인지 안의 위 한약봉지는 D가 아침에 전자레인지에 데우려고 넣어둔 것일 가능성이 높아, 이 점은 일응 D가 아침까지 살아 있었음을 나타내는 간접증거라고 볼 수도 있다.

한편, 증거로 제출되지는 아니하였으나 X 작성의 진술서(수사기록 10-4책 p.229)의 기재에 의하면, 1995. 6. 23. 은평경찰서 경찰관들과 함께 BU동 쓰레기장을 뒤져 피고인이 버린 쓰레기봉투 3개를 수거하였는데, 한약봉지, 치실, 수박껍질 등이 발견되었음을 인정할 수 있다.

실체적 진실주의와 무죄추정의 원칙 그 경계에 선 사건들

그러나, 검찰이 상고 이후 주장하듯이 D가 위 한약을 1일 1회 복용한다고 가정한다면, 위 한약봉지에 관한 추정은 의미가 없다 할 것이다.

사. 제3자의 범행 가능성

검찰은, 제3자가 이 사건 각 범행을 저질렀다면, ① 아파트의 위치 및 D의 시정습관 등에 비추어 침입이 어렵다는 점, ② 범인이 D 외에 다른 범행도구를 이용하여 굳이 말도 못하는 Q까지 살해할 이유가 없다는 점, ③ 범행 후 D의 옷을 벗겨 놓는 등 강간을 위장하고 현장에 불을 놓을 이유가 없는 점, ④ 범행시간과 관련하여, 피고인 출근 이후 D가 식기를 씻고 범인이 찾아오고, 범인은 기회를 노려 피해자들을 살해한 후 욕조에 담그고 방화를 한 다음 문을 잠그고 도주하는 등의 일련의 행위가 화재가 발견된 시점까지의 사이에 이루어지기에는 너무 촉박한 점, ⑤ 살해 및 방화 후 보조 잠금 열쇠를 시정하고 나갈 이유가 없는 점 등을 이유로 그 가능성이 거의 없다고 주장한다.

그러나 반면, ① 침입의 어려움에 대하여는, D가 아는 제3의 면식범이 6. 12. 아침 피고인 출근 이후 집에 찾아와 안으로 들어왔을 수 있고, 건장한 남자라면 BU동 아파트 뒷편의 철창문으로 폐쇄된 3층 비상구의 옆 담을 넘으면 경비실을 거치지 않고 T호로 접근할 수는 있다는 것이므로 경비원이 범인을 보지 못하였을 수도 있으며, ② 제3자가 Q을 살해할 이유는 없을 것이라는 입장은 검찰의 추정에 불과할 뿐 그 이유를 알 수 없음에 불과한 것이고, ③ 또한, D의 옷을 벗겨 놓은 것이 반드시 강간을 위장한 것이라고는 볼 수 없을 뿐 아니라 가사 위장의 목적이 있었다 하더라도 피고인의 입장에서 굳이 위장할 이유가 있었을까 하는 의문이 있고, 방화의 점은, 제3의 범인이 범행도구 등 무언가를 없애기 위하여 또는 화재로 인한 혼란을 틈타 도주하기 위하여 불을 놓았을 수 있다고 볼 수 있으며, 오히려 피고인이 범인이라면 그냥 출근할 경우 10:00 경이 되어서야 비로소 V 또는 K 치과 간호사들에 의하여 범행이 알려질 수 있을 것임에도, 자신에게 불리하도록 일부러 방화를 하여 범행이 일찍 발견되게 할 이유는 없는 것으로 보이고, ④ 한편 범행시간의 문제는, 피고인 출근 및 D의 설거지 이후 화재 발생시각으로 추정되는 08:30~08:40 경까지의 1시간 내지 1시간 반 동안을 위와 같은 일련의 행위가 이루어질 수 없다거나 짧은 시간이라고는 결코 볼 수 없다 할 것이다.

또한, ⑤ 보조 잠금 열쇠에 관하여도, 사건 이후 5개의 보조키 중 1개가 아직 발견 되지 않고 있으므로 범인이 이를 이용하여 보조 잠금 열쇠를 시정하고 도주한 것으로 보이는데, 제3자가 범인이라면, 증거 인멸의 의도이건 혼란을 일으켜 도주할 시간을 확보하기 위한 의도이건 어떠한 목적 하에 방화까지 한 이상, 연기나 냄새에 의하여 화재가 일찍 발견되더라도 아파트 내 진입을 지연시켜 시체가 늦게 발견되도록 하기 위하여 보조키로 현관문을 잠그고 도주하였을 가능성이 높다고 보여지므로, 반드시 위 보조 잠금 열쇠의 시정 사실이 피고인의 유죄를 입증하는 정황이라고 볼 수 없다는 반론도 가능하다.

III. 간접증거에 의한 공소사실의 인정

사실의 인정은 증거에 의하여야 한다는 증거재판주의 및 증거에 대한 평가는 이에 대하여 일정한 법률상의 규제를 가하지 않고 법관의 자유로운 판단에 맡긴다는 자유심증주의라는 형사소송법상 증거법에 관한 두 가지 기본원칙은, 형사재판에서 증거의 증명력은 법관의 자유판단에 맡겨져 있으나, 그 자유재량은 법관의 자의를 허용하는 것이 아니라 객관적으로 인정된 경험법칙이나 논리법칙에 따른 가치선택이어야 함을 의미한다.

이는, 유죄의 인정은 법관으로 하여금 합리적인 의심을 할 여지가 없을 정도로 공소사실이 진정한 것이라는 확신을 가지게 하는 증명력을 가진 증거에 의하여야 하고, 이러한 정도의 심증을 형성하는 증거가 없다면 설사 피고인에게 유죄의 의심이 간다고 하더라도 피고인의 이익으로 판단할 수밖에 없다는 의미와, 유죄로 인정하기 위한 심증 형성의 정도는 합리적인 의심을 할 여지가 없을 정도이어야 하나 합리성이 없는 모든 가능한 의심을 배제할 정도에 이를 것까지 요구하는 것은 아니고, 증명력이 있는 증거를 합리적인 근거 없이 의심하여 이를 배척하는 것은 자유심증주의의 한계를 벗어나는 것으로서 허용되지 아니한다는 의미를 동시에 갖고 있다.

한편, 본건에 있어서와 같이 목격자의 진술 등 직접증거가 전혀 없는 사건에 있어서는 그와 같은 심증이 반드시 직접증거에 의하여 형성되어야만 하는 것은 아니고, 경험법칙과 논리법칙에 위반되지 아니하는 한 간접증거에 의하여 형성되어도 되는 것이며, 간접증거가 개별적으로는 범죄사실에 대한 완전한 증명력을 가지지 못하더라도, 전체 증거를 상호 관련하여 종합적으로 고찰할 경우 그 단독으로는 가지지 못하는 종합적 증명력이 있을 수 있고, 이러한 경우에는 그에 의하여 인정되는 간접사실들에 의하여도 범죄사실을 인정할 수 있다고 보아야 한다.

따라서, 이 사건에 있어서는 ① 검찰이 제출한 간접증거들에 의하여 인정되는 피고인에게 불리한 여러 가지 간접사실 내지 정황을 종합하면 피고인을 유죄로 인정할 수 있는가, ② 그리고 피고인이 아닌 제3자의 범행 가능성이 합리적 의심 없이 배제됨으로써 최종적으로 피해자들의 사망이 피고인의 행위로 인한 것이라고 밖에는 도저히 볼 수 없다고 추단될 수 있는가, 의 두 가지 점이 해결되어야만 비로소 피고인에 대한 이 사건 각 공소사실을 유죄로 인정할 수 있다 할 것인데, 앞에서 살펴본 바와 같이 거짓말탐지기 검사결과, 손톱자국이나 커튼 줄에 관한 수사 내용, 피고인이 공소사실과 비슷한 내용의 비디오테이프를 빌려본 사실 등 기록상 피고인이 이 사건 각 범행의 범인일 수 있다고 의심할 수 있는 여러 가지 정황들이 있기는 하나 각 정황 모두 반대되는 의문점을 일부씩 가지고 있고, 다른 한편으로는, 피고인의 범행동기를 쉽게 인정할 수 없다는 점, 사망시각 또는 사망시간대의 추정에 관한 검찰 제출의 사체 현상에 관한 각 증거에 유죄의 증거가치를 부여하기에는 부족한 점, 이 사건 화재가 피고인의 출근 이후 발생하였다고 보여지는 점, 피고인의 진술에 일관성이 없거나 거짓으로 보이는 일부 내용은 유죄의 증거로까지 인정하기에는 부족한 점, 그리고 오히려 D의 콘택트렌즈, 한약봉지 관련 내용 등 피고인에게 유리하게 보이는 정황도 상당 부분 있음을 엿볼 수 있는 점 등에 비추어, 위 유죄의 각 정황만으로는 피고인이 범인이라고 단정하기에 의문점이 많을 뿐만 아니라 제3자의 범행가능성도 완전히 배제할 수는 없다 할 것이므로(무엇보다도 이 사건 화재가 피고인의 출근 이후 발생하였다고 보여지는 점은 도저히 납득될 수 없다), 결국 여러 가지 유죄의 간접사실 내지 정황을 인정할 수 있는 간접증거들의 존재에도 불구하고 그 종합적 증명력이 위 공소사실을 진정한 것이라고 합리적인 의심을 할 여지가 없이 인정할 정도에 이르렀다고는 볼 수 없다.

그렇다면, 달리 피고인을 범인이라고 인정하기에 충분한 증거도 없는 이 사건에 있어서, 결국 위 각 공소사실은 범죄의 증명이 없는 경우에 해당하므로 형사소송법 제325조 후단에 의하여 무죄를 선고할 수밖에 없다 할 것임에도 원심은 이를 유죄로 인정하였으니, 원심판결에는 사실을 오인하거나 자유심증주의의 한계를 벗어남으로써 판결에 영향을 미친 위법이 있는 것이므로, 이 점에 관한 항소논지는 이유 있다 할 것이다.

四. 결론

이에 당원은 형사소송법 제364조 제6항에 의하여 원심판결을 파기하고 변론을 거쳐 다시 다음과 같이 판결한다.

이 사건 공소사실은, 피고인은 외과의사로서 1989. 11. 11. F대학교 치과대학 3학년이던 피해자 D(여, 30세)와 혼인한 후, 1992. 2. 경 군입대하여 강릉시 소재 G병원에서 공익근무의사로서 근무하고 피해자는 1992. 6. 경 서울 은평구 J에 K치과를 개원하였으며, 피고인이 1995. 4. 하순경 군복무를 마치고 외과의원 개원을 준비하기 전까지 피해자와 별거를 해 왔는바, 평소 처인 피해자가 독단적인 성격으로 피고인을 무시하고 집안의 금전관리 등을 도맡아 하면서 마음대로 가정일을 처리하였으며 피고인의 부모형제와 불화가 심한 데다가, 그 무렵 O과 심각한 불륜관계에 빠진 것을 눈치채고 그 결과 1994. 5. 경 뒤늦게 출산한 자식인 피해자 Q(여, 1세)이 피고인의 친자가 아닐지도 모른다고 의심하는 등 피해자에 대한 감정이 극도로 악화되어 있던 중,

실체적 진실주의와 무죄추정의 원칙 그 경계에 선 사건들

1. 1995. 6. 11. 23:30 경부터 다음 날인 같은 달 12. 06:30 경 사이에 서울 은평구 R에 있는 S아파트 T호 피고인의 집에서 피고인의 누나인 U을 피고인의 외과의원에 직원으로 채용하는 문제와 관련하여 피해자 D와 다투다가 위와 같이 누적된 감정이 폭발한 나머지 D를 살해할 마음을 먹고 그곳 베란다에 설치된 커튼 줄을 잘라서 이를 이용하여 뒤에서 D의 목을 졸라서 그 자리에서 피해자로 하여금 질식으로 사망하게 하여 살해하고, 이어서 Q의 친자 여부 문제 등으로 번민하다가 동인도 종류 미상의 가는 줄을 사용하여 같은 방법으로 살해하고,

2. 위와 같이 피해자들을 살해하고 난 뒤 피고인의 혐의회피 방법 등을 고심하다가 수사에 혼선을 주게 할 목적으로, D의 사체의 티셔츠를 벗기고 팬티를 무릎까지 내린 뒤 피해자의 사체를 그곳 욕조에 넣고 더운 물을 욕조 안에 채워 넣은 다음, 같은 날 07:00 경 출근할 무렵 밀폐된 위 아파트 안방의 장롱 중간 옷장의 옷에 불을 붙이고 옷장 문을 약간만 열어 놓아 화재가 서서히 진행되는 방법으로 옷, 장롱 등 가재도구 및 안방 천

장 등을 태워서 피고인 및 피해자들이 주거로 사용하는 위 집을 소훼한 것이다.

라는 것이고, 한편 원심판결이 인정한 범죄사실의 요지는 위 一.항 기재와 같은바, 위 三.항에서 살핀 바와 같이 피고인이 위 공소사실 내지 범죄사실을 저질렀음을 인정할 증거가 없어 공소사실은 모두 범죄의 증명이 없는 경우에 해당하므로, 형사소송법 제325조 후단에 의하여 피고인에게 무죄를 선고하기로 한다.

2001. 2. 17

판사
재판장 판사 이종찬

판사 정진경

판사 이규진

주석
이 판결의 양이 방대한 관계로 따로 목차를 정리

하여 이 판결 마지막 면에 올려 놓았습니다. 원래의 판결에는 이 각주와 마지막 면의 목차 부분은 없는 것이니 읽으실 때 참조하시기 바랍니다.(이규진 판사)

대법원 2003. 2. 26.선고 2001도1314 판결

【살인·현주건조물방화】, [공2003.4.15.(176),946]

판시사항】
[1] 간접증거를 모두 종합하더라도 공소사실을 인정하기 부족하다는 이유로 무죄를 선고한 원심의 판단을 수긍한 사례
[2] 파기환송 판결의 기속력

【판결요지】

[1] 공소사실을 인정할 수 있는 직접증거가 없고, 공소사실을 뒷받침할 수 있는 가장 중요한 간접증거의 증명력이 환송 뒤 원심에서 새로 현출된 증거에 의하여 크게 줄어들었으며, 그 밖에 나머지 간접증거를 모두 종합하여 보더라도 공소사실을 뒷받침할 수 있는 증명력이 부족한 경우, 피고인

의 진술에 신빙성이 부족하다는 점을 더하여 보아도 제출된 증거만으로는 합리적인 의심의 여지 없이 공소사실을 유죄로 판단할 수 없다 하여 무죄를 선고한 원심의 판단을 수긍한 사례.

[2] 상고심으로부터 사건을 환송받은 법원은 그 사건을 재판함에 있어서 상고법원이 파기이유로 한 사실상 및 법률상의 판단에 기속되는 것이지만, 환송 뒤 심리과정에서 새로운 증거가 제출되어 기속적 판단의 기초가 된 증거관계에 변동이 생기는 경우에는 그러하지 아니하다.

【참조조문】
[1] 형법 제250조 , 형사소송법 제307조 , 제308조 / [2] 법원조직법 제8조

【참조판례】
[1] 대법원 1983. 9. 13. 선고 83도712 판결 (공1983, 1528), 대법원 1994. 1. 28. 선고 93도2958 판결 (공1994상, 865), 대법원 2001. 11. 27. 선고 2001도4392 판결 (공2002상, 228) /[2] 대법원 1983. 12. 13. 선고 83도2613 판결 (공

1984, 235), 대법원 1990. 3. 13. 선고 89도2360 판결 (공1990, 917), 대법원 1996. 12. 10. 선고 95도830 판결 (공1997상, 444)

【전문】

【피고인】 피고인
【상고인】 검사
【변호인】 법무법인 덕수 담당변호사 이돈명 외 9인

【대상판결】
【환송판결】 대법원 1998. 11. 13. 선고 96도1783 판결
【원심판결】 서울고법 2001. 2. 17. 선고 98노3116 판결

【주문】
상고를 기각한다.

【이유】
1. 이 사건 공소사실의 요지는, 피고인이 아내인 망 공소외 1 의 독단적인 성격과 피고인 부모형제

와의 불화 등으로 그와 좋지 아니한 관계에 있던 중 망 공소외 1 이 공소외 2 와 불륜 관계에 있는 것을 눈치 채고 그가 출산한 망 공소외 3 이 피고인의 친자가 아닐지도 모른다고 의심하는 등 망 공소외 1 에 대한 감정이 매우 악화된 상태에서 1995. 6. 11. 23:30경부터 1995. 6. 12.(다음부터 '사건 당일'이라고 한다) 06:30경까지 사이에 피고인의 집에서 망 공소외 1 과 다투다가 그 동안 쌓인 감정이 폭발하여 거실 베란다의 커튼 줄을 잘라 그의 목을 졸라 살해하고, 이어 다른 줄로 망 공소외 3 의 목을 졸라 살해한 다음, 사건 당일 07:00경 안방 장롱 안의 옷에 불을 놓아 주거로 사용하는 건조물을 소훼하였다는 것이다.

2. 원심은, 피고인이 망 공소외 1 과의 성격 차이, 망 공소외 1 과 피고인 형제부모의 갈등, 망 공소외 1 과 공소외 2 사이의 관계 등으로 망 공소외 1 과 원만하지 아니한 관계에 있었고,

망 공소외 3 도 잘 돌보지 아니하고 있었던 사실, 망 공소외 1 이 1995. 6. 11. 22:30경 언니와 전

화를 하면서 일상적인 대화를 나눈 사실, 피고인은 사건 당일 07:00경 집을 나와 그날 08:05경 당일 개업할 예정이었던 피고인의 외과의원에 도착한 사실, 그런데 사건 당일 08:50경 피고인의 집에서 화재가 발생한 것이 발견되었고 소방관이 출동하여 불을 끈 뒤 화장실 욕조 안에서 망 공소외 1 과 망 공소외 3 의 사체를 발견한 사실 등을 인정한 다음, 피고인이 망 공소외 1 과 망 공소외 3 을 살해하고 불을 놓았다는 공소사실을 인정할 수 있는 직접증거가 없고

피고인이 일관되게 공소사실을 부인하고 있는 이 사건에서 ① 망 공소외 1 과 망 공소외 3 은 1995. 6. 11. 22:30경까지 살아 있었음이 분명하고 피고인이 사건 당일 07:00경 집을 나올 때까지 피고인의 집에는 피고인과 망 공소외 1 , 3 만 있었으므로, 망 공소외 1 과 망 공소외 3 이 사건 당일 07:00 이전에 사망하였다면 피고인을 범인으로 볼 수 있고,

의사 또는 법의학자인 공소외 4 · 공소외 5 · 공소외 6 이 망 공소외 1 의 사체에 나타난 시반,

실체적 진실주의와 무죄추정의 원칙 그 경계에 선 사건들

시강 및 위 내용물에 대한 감정결과 망 공소외 1 과 망 공소외 3 이 사건 당일 07:00 이전에 사망한 것으로 추정된다고 하고 있으나, 스위스 법의학자인 공소외 7 의 증언 등 환송 뒤 원심에서 새로 제출된 증거들까지 모아 보면,

시반과 시강 및 위 내용물의 상태로 사망 시각을 추정하는 것은 오차의 범위가 매우 넓고 여기에 영향을 미치는 변수도 많아 정확성이 부족할 뿐만 아니라 이 사건에서 망 공소외 1 과 망 공소외 3 의 사체가 발견된 상황이나 그 사체의 상태 등을 종합하여 보더라도 망 공소외 1 과 망 공소외 3 이 사건 당일 07:00 이후에 사망하였을 가능성을 배제할 수 없으므로,

위 공소외 4 등의 사망 시각 추정에 따라 이 사건 공소사실을 유죄로 인정할 수 없고, ② 환송 뒤 원심에서 피고인의 집 안방과 유사한 구조물을 세워 이 사건과 비슷하게 불이 나는 과정을 실험한 결과 옷에 불을 붙인 뒤 불과 5~6분 안에 밖에서 연기가 관찰되었는데, 실제 화재현장과 실험 구조물의 차이 등을 감안하더라도 피고인의 집에

서 연기가 나오는 것이 발견된 시각 등에 비추어 보면 피고인의 집 안에 불이 붙은 시각은 사건 당일 07:00 이후라고 보이는데, 그렇다면 피고인이 출근한 뒤 누군가 불을 놓았다고 보는 것이 합리적이며, ③ 피고인과 망 공소외 1 사이의 갈등과 불화는 사건 당일 무렵 많이 해소되었고 무엇보다 망 공소외 1 의 도움으로 자신의 병원을 개업하게 된 피고인이 병원을 개업하기 직전 갑자기 망 공소외 1 과 망 공소외 3 을 살해할 마음을 먹게 되었다고 보기 어렵고, ④ 사건 직후 피고인의 팔에 남아 있던 손톱자국이나 피고인의 집에서 발견된 망 공소외 3 을 위한 우유병과 1회용 분유통의 상태 또는 식기세척기 등 식탁 주변의 상황 등은 이 사건 공소사실을 인정하는 간접증거로 삼기에 부족하며, ⑤ 한편, 피고인의 진술에 일관성이 없고 피고인에 대한 거짓말탐지기 검사 결과도 망 공소외 1 과 망 공소외 3 을 살해한 범인에게만 나타날 수 있는 반응이 나오는 등 피고인의 진술에 신빙성이 없지만,

이 사건 공소사실을 뒷받침하는 다른 간접증거들의 종합적인 증명력을 인정할 수 없는 이상, 비록

실체적 진실주의와 무죄추정의 원칙 그 경계에 선 사건들

피고인의 진술에 신빙성이 없고 피고인이 범인이라고 의심할 수 있는 정황들이 있다고 하더라도 그러한 사정만으로 합리적인 의심의 여지 없이 공소사실을 인정할 수 있는 정도에 이르렀다고 볼 수 없다는 이유로 무죄를 선고하였다.

3. 범죄사실의 증명은 반드시 직접증거만으로 하여야 하는 것은 아니고 논리와 경험칙에 들어맞는 한 간접증거로도 할 수 있으며, 간접증거가 개별적으로는 범죄사실에 대한 완전한 증명력을 가지지 못하더라도 전체 증거를 종합적으로 검토할 경우 그 단독으로는 가지지 못하는 증명력이 있는 것으로 판단되면 그에 의하여도 범죄사실을 인정할 수 있음은 환송판결이 지적한 바와 같다.

그러나 이 사건에서 보면, 공소사실을 인정할 수 있는 직접증거가 없고, 공소사실을 뒷받침할 수 있는 가장 중요한 간접증거인 망 공소외 1 과 망 공소외 3 의 사망시각에 관한 여러 증거의 증명력이 환송 뒤 원심에서 새로 조사된 스위스 법의학자의 증언이나 화재재현실험결과 등에 의하여 크게 줄어들었으며, 그 밖에 사건 직후 피고인의 팔에 남아 있던 손톱자국이나 피고인의 집에서 발견된 망 공소외 3 을 위한 우유병과 1회용 분유통의 상태 또는 식기세척기 등 식탁 주변의 상황, 피고인과 망 공소외 1 의 갈등관계 등 나머지 간접증거를 모두 종합하여 보더라도 공소사실을 뒷받침할 수 있는 증명력이 있다고 볼 수 없으므로, 여기에 피고인에 대한 거짓말탐지기 검사결과 등 피고인의 진술에 신빙성이 부족하다는 점을 더하여 보아도 이 사건에 제출된 증거만으로는 합리적인 의심의 여지 없이 공소사실을 유죄로 판단할 수 없다.

따라서 원심이 같은 취지에서, 피고인에 대하여 무죄를 선고한 것은 옳고, 거기에 상고이유로 든 주장과 같이 채증법칙을 위배하는 등의 잘못이 없다.

한편, 상고심으로부터 사건을 환송받은 법원은 그 사건을 재판함에 있어서 상고법원이 파기이유로 한 사실상 및 법률상의 판단에 기속되는 것이지만, 환송 뒤 심리과정에서 새로운 증거가 제출되어 기속적 판단의 기초가 된 증거관계에 변동이 생기는 경우에는 그러하지 아니하므로 (대법원 1996. 12. 10. 선고 95도830 판결 참조), 원심이 환송 뒤 제출된 새로운 증거를 받아들여 사실인정을 한 이 사건에서 상고이유로 든 주장과 같이 환송판결의 기속력에 관한 법리를 오해한 잘못도 없다.

4. 그러므로 상고를 기각한다.

대법관 배기원(재판장) 서성(주심) 이용우 박재윤